Thomas Charles
a'r Bala

THOMAS CHARLES A'R BALA

Goronwy Prys Owen

2016

Argraffiad cyntaf: 2016

ISBN: 978-0-9563229-9-9

Dymunir cydnabod yn ddiolchgar gyfraniad hael **Cwmni Awen Meirion, Cyf.** tuag at gostau cynhyrchu'r cyhoeddiad hwn.

Cynlluniwyd y clawr gan Ian Lloyd Hughes.

Cyhoeddwyd gan NEREUS,
Tanyfron, 105 Stryd Fawr Y Bala, Gwynedd LL23 7AE
Ffôn: 01678 521229 e-bost: dylannereus@btinternet.com
ar ran 'Cantref',
Cymdeithas Dreftadaeth Y Bala a Phenllyn.
Ysgrifennydd: Hywel Lloyd Davies,
74 Stryd Fawr, Y Bala. LL23 7BH.

Cysodwyd gan yr awdur ar ei gyfrifiadur personol.

Cyflwynaf y llyfr hwn
yn anrheg i Eirlys
gyda llawer o gariad
ar achlysur ein Priodas Aur,
Mai 2016.

Cynnwys

Rhestr o'r darluniau

Byrfoddau

AJE	Goronwy Prys Owen (gol.), *Atgofion John Evans y Bala* (Caernarfon, 1997)
AMC	Archifau'r Methodistiaid Calfinaidd yn LlGC
Cofiant	Thomas Jones, *Cofiant, neu Hanes Bywyd a Marwolaeth y Parch. Thomas Charles* ... (Bala, 1816).
CH	*Cylchgrawn Cymdeithas Hanes y Methodistiaid Calfinaidd.*
Coleg y Werin	Hugh John Hughes, *Coleg y Werin: Hanes Cynnar yr Ysgol Sul yng Nghymru (1780-1851)* (Chwilog, 2013).
GPC	*Geiriadur Prifysgol Cymru* (Caerdydd, 1950 – 2002).
HMGC2	Gomer M. Roberts (gol.), *Hanes Methodistiaid Calfinaidd Cymru*, Cyfrol 2 (Caernarfon, 1978);
HMGC3	John Gwynfor Jones (gol.), *Hanes Methodistiaid Calfinaidd Cymru*, Cyfrol 3 (Caernarfon, 2011).
LTC	D. E. Jenkins, *The Life of the Rev. Thomas Charles B.A. of Bala*, Tair Cyfrol (Dinbych, 1908).
LlGC	Llyfrgell Genedlaethol Cymru, Aberystwyth.
MDM	William Williams, Glyndyfrdwy, *Methodistiaeth Dwyrain Meirionydd* (Bala, 1902).
TCGC	R. Tudur Jones, *Thomas Charles o'r Bala: Gwas y Gair a Chyfaill Cenedl* (Caerdydd, 1979).

Rhagair

Braint annisgwyl i mi oedd derbyn y gwahoddiad i draethu ar
Thomas Charles yn ystod Cyfarfod Blynyddol 'Cantref', Cymdeithas
Dreftadaeth Y Bala a Phenllyn, ym mis Mai 2014, blwyddyn cofio
dau ganmlwyddiant ei farw. Ymwrthodais â'r ymadrodd cyffredin
'Thomas Charles o'r Bala' a hynny am ddau reswm. Yn gyntaf,
nid yw'n wir! Nid o'r dref hon nac o'r ardal hon yr hanai Thomas
Charles, ond o Sir Gaerfyrddin bell. Yn ail, teimlwn y derbyniai
ei gyfraniad i fywyd y genedl a'r byd gymaint o sylw nes bod
perygl esgeuluso ei gyfraniad i'w fro fabwysiedig. Hyd y gwelaf,
o'i waith yn Y Bala a'r cylch y tarddodd ei weithgarwch arwrol
dros y Ffydd Gristnogol drwy Gymru a'r byd. Dyma bwysigrwydd
y wasg argraffu a sefydlodd yn y dref: yr oedd yn allweddol i'w
weledigaeth o ddarparu llenyddiaeth adeiladol i'w Gymru. Syndod
pleserus, felly, oedd gweld yn y gyfrol oludog *Thomas Charles o'r Bala*
a olygwyd gan yr Athro Densil Morgan, deitl pennod y golygydd,
'Thomas Charles a'r Bala'[1]

Yr oedd mwy nag un gweithgarwch yn Y Bala ar noson y
traddodwyd y ddarlith, ac oherwydd hynny, yr oedd amryw
a ddymunasai fod yn bresennol gydag ymrwymiadau eraill.
Oherwydd hynny gofynnodd Cangen Penllyn o Gymdeithas y
Beiblau imi ailgyflwyno'r ddarlith ym mis Tachwedd yn festri
Capel Tegid. Yr oedd gennyf ryw atgof y cedwid rhan o lawysgrif
Geiriadur Charles yn Llyfrgell Coleg Y Bala nes i honno gael ei
chwalu tua 1964. Penderfynais holi yn y Llyfrgell Genedlaethol
tybed a oedd y llawysgrif yn cartrefu yno. Mawr oedd fy llawenydd
pan gadarnhawyd ei bod. Cyn gynted ag y daethpwyd o hyd iddi,
gosodwyd hi o fy mlaen, a manteisiais ar fy nghyfle i ychwanegu
rhai sylwadau ar ei chynnwys.

Ac fel pe buasai traddodi'r ddarlith ddwywaith ddim yn ddigon,
daeth trydydd gwahoddiad, y tro hwn o gapel John Hughes ym
Mhontrobert, fis Awst 2015 fel rhan o ddathliadau Diwrnod Ann

[1] (Caerdydd, 2014), tt. 193-208.

Griffiths. Ar ôl derbyn y gwahoddiad teimlwn yn anesmwyth fy ysbryd: onid anghwrteisi ar fy rhan fyddai croesi'r Berwyn a sôn yn unig am 'Thomas Charles a'r Bala' yng nghanol Sir Drefaldwyn, ac yn hen gapel John Hughes o bob man? Penderfynais ychwanegu pwt am ddylanwad gweithgareddau Charles yn Y Bala ar rai o drigolion mwyn Maldwyn. Ymgais glogyrnaidd i grynhoi a chymhathu'r elfennau a draddodwyd i dair cynulleidfa yw'r ymdrech hon i adrodd peth o hanes a chyfraniad Thomas Charles yn arbennig yn Y Bala ac ardaloedd Penllyn.

Wrth gyfarch 'Y Darllenydd' ar ddechrau ei farwnad i Thomas a Sarah (Sali) Charles, dywed Dafydd Cadwaladyr [sic] mai ei diben oedd bod 'yn anogaeth i fy nghydwladwyr i ddarllen gwaith y Parchedig Mr. Charles yn fanylach.' A dyna fy nymuniad innau. Ofer yw'r holl sôn am gyfraniad enfawr Charles mewn cymaint o wahanol feysydd onid arferwn y cwrteisi syml tuag ato o ddarllen ei ysgrifeniadau, yn arbennig *Yr Hyfforddwr* a'r *Geiriadur*.

Diolch

Mae'n ddyletswydd arnaf ddiolch i amryw am eu cefnogaeth a'u cymorth. Dechreuaf drwy enwi fy nghymydog, Ian Lloyd Hughes, Swyddog Arddangosfeydd Cymdeithas Cantref, am estyn y gwahoddiad imi lunio'r ddarlith a'i thraddodi yn y Cyfarfod Blynyddol. Ar ben hynny, yr wyf braidd yn siŵr mai ef a 'wthiodd y cwch i'r dŵr' gyda golwg ar gyhoeddi'r gwaith, heb sôn am ei gymwynas yn dylunio'r clawr. Diolchaf i gymydog arall, Daniel Williams, am fy nhywys ar hyd rhai o lwybrau diarffordd fy nghyhyfrifiadur. Yr wyf yn ddyledus i staff y Llyfrgell Genedlaethol am eu hynawsedd, a'u dyfalbarhad a'u cydweithrediad, i staff Archifdy Gwynedd, Dolgellau, am gymorth sylweddol, ac i Haf Hughes, Llyfrgellydd Cangen Y Bala o Lyfrgell Gwynedd, am ei chymwynasau parod. Diolchaf i gynulleidfa Capel Tynddôl, Abergynolwyn, am rannu â mi eu gwybodaeth am briodas Mari Jones. Diolchaf i Dorothy Vaughan Pritchard a Dilwyn Jones am gymorth i leoli un o gartrefi'r seiadwyr cynnar. Y mae eraill o swyddogion Cymdeithas Cantref yr wyf yn ddyledus iddynt, sef Alun Puw, Llanuwchllyn, nid yn unig am gadeirio'r cyfarfod yn hen gapel y Plase ym Mai 2014, ond hefyd am gynorthwyo gydag offer y Pwerbwynt; Hywel Lloyd Davies, ysgrifennydd y Gymdeithas, am ddatgelu rhai o ddirgelion deddfau hawlfraint; Dewi T. Davies, Fron-goch, cadeirydd presennol y Gymdeithas, am ddarllen y teipysgrif gyda llygad barcud, gan fireinio llawer ar yr ymadroddi a safoni sillafu enwau cartrefi seiadwyr cynnar y bröydd hyn. Ar ben hyn oll, carwn fynegi fy niolch diffuant i Dylan Jones, Gwasg Nereus, Y Bala, am ei waith glân, ei gynghorion hael a'i gymwynasgarwch diflino. Ond bydded hysbys mai ar f'ysgwyddau i y gorffwys y cyfrifoldeb am bob bai ac amryfusedd, ynghyd ag unrhyw or-ddweud a ddigwydd.

Taith anesmwyth a gafodd y llyfryn hwn drwy gyfnod ei baratoi. Pan estynnwyd y gwahoddiad i mi ar ran Cymdeithas Cantref, wrthi'n cryfhau yr oeddwn ar ôl dau fis o driniaethau yn Ysbyty Glan Clwyd, a heb wybod sut y byddai'r frwydr yn troi, ond bu paratoi'r ddarlith yn therapi ardderchog. A chyn tynnu'r gŵys i ben, daeth damwain gas i ran Eirlys, a bu ei braich mewn plaster am naw wythnos, ac mae'n dal i dderbyn triniaeth ffisiotherapi. Dan yr amgylchiadau digon trafferthus hyn y ceisiais ddod â'r gwaith i fwcl. Yr wyf am fanteisio ar y cyfle hwn i ddiolch i deulu a chyfeillion, ac yn arbennig i'n cymdogion yng Nghae Gadlas, am bob cymorth i'r ddau ohonom mewn cyfnod o adfyd.

Fy mraint yw cyflwyno'r llyfryn hwn i Eirlys, er mor annigonol ydyw, i ymddiheuro iddi fod Thomas Charles wedi llyncu cymaint o f'amser dros y misoedd diwethaf, ac i fynegi fy nghariad tuag ati a'm diolch iddi am ei chefnogaeth, ei chariad, a'i gras (yn yr ystyr dechnegol, ddiwinyddol, o garu gwrthrych anhaeddiannol) dros y deng mlynedd a deugain hyn.

Goronwy Prys Owen, Awst 2016.

1. Cefndir

Magwraeth ac Addysg

Ganed Thomas Charles ar 14 Hydref 1755 ar fferm y Longmoor ym mhlwyf Llanfihangel Abercywyn, nid nepell o San Clêr, a bu farw yma yn Y Bala ar 5 Hydref 1814 a'i gladdu ym mynwent Llanycil. Hanai o deulu cyffyrddus eu byd, a'i fagu ym Mhant-dwfn fferm oddeutu 367 erw,[1] unwaith eto

Adfail Pant-dwfn

ym mlwyf Llanfihangel. Perthynai i deulu o ddylanwad mawr yn yr ardal, a'i gyfraniad yn sylweddol i fywyd Sir Gaerfyrddin. Yr oedd ei fam yn ferch David Bowen, Pibwrlwyd, Caerfyrddin, a daeth ef yn siryf Sir Gaerfyrddin yn y flwyddyn 1763.[2]

Dechreuodd ei yrfa addysgol nid nepell o'i gartref, sef yn Llanddowror. Bu yno am dair neu bedair blynedd mewn ysgol a ymgorfforai ysbryd a dyhead yr enwocaf o drigolion y pentref hwnnw, y Parchedig Griffith Jones (1683-1761).

---

[1] *LTC*, I, t. 17.

[2] *Y Bywgraffiadur Cymreig hyd 1940* (Llundain, 1953).

Bu'n ffodus o'i athro, Rhys Hugh, 'hen ŵr crefyddol a gwir dduwiol, ... disgybl ffyddlon i'r diweddar Barch. Griffith Jones.' Un o hoff lyfrau Charles yn ystod y blynyddoedd tyner hyn oedd *Agoriad i Athrawiaeth y Ddau Gyfammod: dan yr enwau Deddf a Gras ... o waith John Bunyan* (1628-88).[3] Ni ellir gorbwysleisio dylanwad Llanddowror ar y Thomas Charles ifanc. Edrychai ar Rys Hugh fel 'ei dad yn Ffydd', ac nid oes amheuaeth mai ar Griffith Jones a'i waith y ceisiodd Charles fodelu ei weithgarwch.

Y cam nesaf yn addysg Charles oedd treulio chwe blynedd yn Athrofa Caerfyrddin. Yno trwythwyd ef yn sylfeini'r ieithoedd clasurol, Lladin a Groeg, a'i baratoi ar gyfer addysg prifysgol. Bu'r cyfnod hwn eto'n allweddol yn ei hanes, yn bennaf am iddo ddod i gysylltiad â Methodistiaeth teulu'i fam, gan fynychu'r seiat a gyfarfyddai mewn stryd nid anenwog yn y dref, Heol-y-Dŵr. Dyma'r dylanwad a'i harweiniodd i Langeitho, i wrando ar Daniel Rowland (1713-90) yn pregethu. Meddai Charles yn ei ddyddiadur,

> Ionawr 20, 1773, euthum i wrando'r Parch[edig] Daniel Rowland, oedd yn pregethu yng nghapel N[ewydd, Llangeitho] ... a bydd y diwrnod yn dra chofiadwy gennyf tra byddwyf fyw. O'r diwrnod cysurol hwnnw cefais fath o nef newydd a daear newydd i'w mwynhau. Y cyfnewidiad a brofai dyn dall wrth dderbyn ei olwg, nid ydyw'n fwy na'r cyfnewidiad a brofais i'r pryd hwnnw yn fy meddwl.[4]

---

[3] *Cofiant*, t. 6. Codwyd y manylion am lyfr Bunyan o Eiluned Rees, *Libri Walliae* (Aberystwyth, 1987), #727. Awgryma William Rowlands (Gwilym Lleyn), mai Edward Parry, Llansannan, a'i cyfieithodd. *Llyfryddiaeth y Cymry* (Llanidloes, 1869), tt. 495-96.

[4] *Cofiant*, tt. 8-9.

Digwyddodd dau beth i Charles yn yr oedfa honno, yn ôl Dr Tudur Jones.[5] Yn gyntaf, adnewyddwyd ei feddwl a'i ddeall nes bod y Beibl yn dod yn llyfr byw iddo, a dechrau ymddiddori mewn athrawiaeth a diwinyddiaeth, ac yn ail, treiddiodd gwirionedd y bregeth am Archoffeiriadaeth Crist gymaint i'w galon nes esgor ar brofiad ysbrydol sicr o faddeuant pechodau. Yng ngoleuni'r ymrwymiad a wnaeth Charles yn yr oedfa honno yn Llangeitho, y mae deall a gwerthfawrogi gweddill ei fywyd.

Yr ail ddigwyddiad o bwys yn hanes Charles yng Nghaerfyrddin oedd dod i adnabod Simon Lloyd (1756-1836), o Blas-yn-dre, Y Bala. Derbyniodd Simon Lloyd beth o'i addysg mewn ysgol yng Nghaerfaddon cyn symud i Ysgol Ramadeg y Frenhines Elisabeth, Caerfyrddin, i'w ddarparu ar gyfer gyrfa

Simon Lloyd

o fewn yr Eglwys Esgobol. Er mai yn yr Academi yng Nghaerfyrddin yr addysgwyd Charles, o gofio cefndir Methodistaidd y ddau deulu, mae'n bur debyg eu bod wedi cyfarfod yn y dref honno.

Dechreuodd y trydydd cymal o addysg Charles yn niwedd Mai 1775 pan gofrestrodd yng Ngholeg Iesu, Rhydychen. Yno y treuliodd y tair blynedd nesaf gan gymdeithasu â myfyrwyr a chlerigwyr Anglicanaidd efengylaidd eu hargyhoeddiadau, ond, yn arbennig, ailafaelodd yn ei gyfeillgarwch â Simon Lloyd. Treuliodd wyliau'r haf 1777 yng nghwmni'r Parchedig John Newton (1725-1807) yn Olney, ar berwyl nid annhebyg i'r fintai o efrydwyr yn ein cyfnod ni a

---

[5] *TCGC*, tt. 13-14.

fu'n bwrw rhai misoedd yn Llansannan. John Newton, y cyn-fasnachwr caethweision a brofodd dröedigaeth ryfeddol ac a ddaeth yn emynydd disglair oedd prif arweinydd y garfan efengylaidd yn yr Eglwys Anglicanaidd, a than ei arweiniad ef cafodd Charles ei drwytho mewn diwinyddiaeth ac arferion gweinidogaethol a oedd yn anathema i ddysgedigion syber Colegau Rhydychen. Dyma pryd y darganfu Charles gyfoeth ysbrydol a meddyliol gweithiau'r Piwritaniaid, fel y dengys ei lofnod ar wyneb-ddalen ei gopi o ail gyfrol pregethau Stephen Charnock.[6] Graddiodd Charles ar ddiwedd tymor yr haf 1778, ac yn Eglwys Gadeiriol y ddinas honno yr urddwyd ef yn ddiacon.

Derbyniodd urddau llawn yr offeiriadaeth Anglicanaidd ddwy flynedd yn ddiweddarach, sef ym Mai 1780. Apwyntiwyd ef yn gurad nifer o blwyfi yng Ngwlad yr Haf, ardaloedd o gwmpas Milbourne Port, ond ni ddisgwylid iddo ddechrau ar ei ddyletswyddau ynddynt tan o gwmpas y Nadolig. Yn garedig iawn, estynnodd ei gyfaill Simon Lloyd, wahoddiad iddo dreulio peth o'r amser hwn gydag ef yn ei gartref yn Y Bala.

Y Bala, 1783

Yn ystod ail hanner y ddeunawfed ganrif yr oedd Y Bala'n dref ffyniannus yn economaidd yn bennaf oherwydd llwyddiant y fasnach wlân, gyda gweu hosanau yn rhan

---

[6] *The Works of the late Learned Divine Stephen Charnock, B.D., Vol. II, being several Discourses upon various Divine Subjects, ...* (London: 1699).

ganolog ohoni, ac nid effeithiwyd ar y llewyrch economaidd hwn gan y Chwyldro Diwydiannol yn Lloegr.[7] Datblygodd Y Bala'n ganolfan fasnachol o bwys, a bu bri mawr ar y farchnad a gynhelid yn y dref bob bore Sadwrn. Hybwyd yr economi ymhellach pan atgyweiriwyd y ffyrdd yn 1775 a dechrau gwasanaeth y goets fawr rhwng y Bermo a Chorwen, gan deithio drwy'r Bala.

Tua chanol y ddeunawfed ganrif marwaidd iawn oedd cyflwr ysbrydol Y Bala, gyda mwyafrif helaeth o'r trigolion heb roi gwerth na bri ar y Beibl, nac ymddiddori yn nhynged eu heneidiau. Ymdrechodd rhai o'r gweinidogion Ymneilltuol cynnar, megis Morgan Llwyd (1619-59) o Gynfal, a Thomas Baddy (bu farw yn 1729), Dinbych, bregethu yn y dref yn achlysurol. Daeth Lewis Rees (1710-1800), Llanbryn-mair, i Lanuwchllyn yn ei dro, a'i ymweliadau ef a arweiniodd at bum cenhadaeth Howel Harris (1714-73) ym Mhenllyn rhwng 1740 a 1749. Yn ystod ei drydydd ymweliad â'r Bala, Ionawr 1741, y dioddefodd Harris yr erlid ffyrnicaf a brofodd erioed, pan lifodd ei waed ar strydoedd y dref.[8] Ond er pob gwrthwynebiad, sefydlwyd seiat Fethodistaidd yn Y Bala yn 1745, a mentrodd yr aelodau adeiladu eu capel cyntaf yn 1757.

Y Garwriaeth Fawr

Yr oedd croeso Llwydiaid Plas-yn-dre i Thomas Charles yn 1778 yn dra gwahanol i'r un a dderbyniodd Harris bron i ddeugain mlynedd ynghynt. Yr oedd y chwyldro Methodistaidd bellach wedi hen wreiddio yn yr ardal. Darfu am y canu a'r dawnsio yn y tafarndai, y chwarae tenis ar yr

---

[7] Gwen Emyr, *Sally Jones, Rhodd Duw i Charles* (Pen-y-bont ar Ogwr, 1996), tt. 14-15.

[8] *AJE*, t. 45 ymlaen, a 144-45.

Hall a'r *bobio* a grybwyllir gan yr hynafgwr John Evans,[9] a darfu hefyd am lawer o'r erlid corfforol.

Bu'r ymweliad hwn â'r Bala yn gwbl dyngedfennol yn hanes Thomas Charles, yn hanes Y Bala, yn hanes Cymru, ac yn wir, yn hanes y byd. Dyma pryd y cyfarfu Thomas Charles â Sali, unig ferch David a Jane Jones, masnachwyr llwyddiannus yn y dref, teulu â'i wreiddiau'n ddwfn ym Meirionnydd.[10] Ar ochr ei thad yr oedd Sali'n wyres i John Evans, Maes y Tryfar, plwyf Llanelltud, fferm nid nepell o safle mwynfeydd aur y Clogau. O ochr ei mam, ei thaid oedd Richard Jones, Bryngath, ffermdy a saif tua chwe milltir o Drawsfynydd. Ganwyd Sali ('Sarah' yn swyddogol) ar 12 Tachwedd 1753, ond bu farw'i thad tua diwedd 1759. Ymhen rhyw ddwy flynedd, sef ym Mai 1761, priododd ei mam Thomas Foulkes (1731-1802). Ganed Foulkes yn Llandrillo, a magwyd ef yn Llangwm. Oddi yno aeth i weithio i Gaer, ac yn y ddinas honno profodd dröedigaeth dan weinidogaeth John Wesley. Dychwelodd i Gymru, i'r Bala, er mwyn cael mwynhau gweinidogaeth Gymraeg, ac ymhen amser, dechreuodd yntau bregethu. Gwasanaethodd yr achos yn Y Bala ac, yn ddiweddarach, ym Machynlleth.

Thomas Charles,
y curad ifanc golygus

Dadlenna Charles yn un o'i lythyrau at Sali y gwyddai

[9] *AJE*, tt. 96 a 143 am ystyr *bobio*.
[10] *LTC*, I, t. 141-43.

amdani yn ystod ei gyfnod yng Nghaerfyrddin:[11] yr oedd
sôn am ei hysbrydoledd a'i charisma, heb sôn am ei chyfoeth,
eisoes wedi cyrraedd y deheudir. Dywedir fod Williams
Pantycelyn ar un cyfnod, wedi meddwl amdani o ddifrif fel
darpar-wraig i'w fab John.[12] Unwaith y cyfarfu Thomas â Sali,
syrthiodd dros ei ben a'i glustiau mewn cariad â hi. Ond gan ei
bod hi eisoes yn ferch gefnog ac yn unig blentyn, yr oedd am
fod yn hollol dawel ei meddwl nad y golud bydol hwn oedd
gwir ddiddordeb Thomas. Oherwydd hynny bu hi'n llawer
arafach yn cynhesu tuag ato ef, a barnu oddi wrth dymheredd
ac ysbryd rhai o'i llythyrau.[13] Ond dyma un o garwriaethau
mawr Cymru, yn ôl Dr Tudur Jones,[14] ac er yr holl anawsterau,
gan gynnwys y pellter daearyddol rhwng Gwlad yr Haf a'r
Bala, ffynnodd y garwriaeth. Yn ogystal â llythyru'n fynych â
gwrthrych ei serch, ymwelodd Charles unwaith neu ddwy â'r
Bala rhwng 1780 a 1783.

Er bod Charles yn benderfynol o ennill calon a llaw Sali, a
bod lle i gredu fod Sali'n dechrau cynhesu tuag ato, nid oedd
hi'n barod i adael Y Bala, oblegid yno yr oedd ei theulu a'i
masnach. Yn bendant ni fynnai gefnu ar ei Methodistiaeth
a dod yn wraig i Berson Plwyf ym mherfeddion Lloegr.
Cafodd Charles gynnig bywoliaeth plwyf South Barrow, eto
yng Ngwlad yr Haf, ym Medi 1782, ond dal i wrthod symud
o'r Bala a wnâi Sali. Ymdrech nesaf Charles oedd ceisio
curadiaeth o fewn cyrraedd i'r Bala, ond ei siomi a gafodd
gan yr awdurdodau eglwysig ym mhlwyfi Cerrigydrudion,

---

[11] Gweler J. E. Wynne Davies, 'Thomas Charles (1755-1814)' yn *CH*, 38,
tt. 62-63.

[12] Dyfynnir Gomer M. Roberts gan Gwen Emyr, idem, t. 17.

[13] e.e. llythyrau dyddiedig 22 Mehefin a 15 Gorffennaf 1780 yn *LTC*, I,
tt. 194-96 a 202-03.

[14] *TCGC*, t. 17.

Llandyrnog, Croesoswallt, Mallwyd, Llanuwchllyn, a Llangynog.

Gwelodd Charles mai'r unig ffordd ymlaen, os oedd am ennill Sali'n wraig iddo, oedd ymddiswyddo o'i holl ofalon yng Ngwlad yr Haf, a mentro, doed a ddelo, i'r Bala. Gadawodd Milbourne Port ar 23 Mehefin 1783, 'gan gwbl-gredu mai ewyllys yr Arglwydd ydoedd i mi wneuthur felly, pa beth bynnag fyddo y canlyniad.'[15] Mae'n dra thebyg iddo anelu'n gyntaf i'w gynefin ym mhlwyf Llanfihangel Abercywyn, ond cyrhaeddodd Y Bala ar 18 Gorffennaf. Priodwyd Sali ac yntau yn eglwys Llanycil. Dyma'r cofnod:

Thomas Charles of this Parish Batch[r] and *Sarah Jones* of this *same* Parish *Spinster* were married in this *church* by *Licence* this *twentieth* Day of *August* in the Year One Thousand *seven hundred and eighty three* by me, *John Lloyd Cur[ate]*. This Marriage was solomnized between us *Thomas Charles*,

Sarah Jones,

In the Presence of *Simon Lloyd*,

Lydia Lloyd.[16]

Gwelir mai ei hen gyfaill, Simon Lloyd, oedd y gwas, a'i chwaer yntau, Lydia Lloyd, cyfeilles blynyddoedd i Sali, y forwyn. Cawsant dros ddeng mlynedd ar hugain o fywyd priodasol, ac fel y dywedodd Dr Tudur Jones, 'yr oedd [Thomas] yn dal mewn cariad â hi wedi iddi gael ei hail strôc

---

[15] *Cofiant*, t. 152.

[16] Cofrestr Plwyf Llanycil, Archifdy Gwynedd, Dolgellau. Ceisiwyd adlewyrchu'r gwahaniaeth yn y cofnod rhwng ffurf brintiedig y Cofrestr a'r ychwanegiadau mewn llawysgrifen.

yn Nhachwedd 1811 a'i chorff lluniaidd wedi ei barlysu a'i chof yn pallu.'[17]

Cyflogaeth

Unwaith yr ymsefydlasai yn Y Bala, disgwyliai Charles y byddai'n cael cynnig curadiaeth yn yr Eglwys Anglicanaidd. Cyflogwyd ef am rai misoedd, tua diwedd 1783, yn Shawbury, Sir Amwythig,[18] ond y gwir oedd bod y rhan honno o'r hen Bowys yn rhy bell o'r Bala i foddhau deuddyn oedd newydd briodi. Tua dechrau 1784 cafodd ei apwyntio'n gurad Llanymawddwy, a gwasanaethodd yno am dri mis.[19] Teithiodd yn ffyddlon drwy bob tywydd y gaeaf hwnnw dros Fwlch-y-groes i gyflawni ei weinidogaeth.

Daeth siom i'w ran unwaith eto: cwynodd rhai o'r plwyfolion am ei arfer o gateceisio ar ôl y gwasanaeth. Ar ben hynny, bendithiwyd ei weinidogaeth drwy dröedigaeth rhai o'i wrandawyr. Yr oedd yr efengyl a bregethai yn rhy boeth i rai o bwysigion y plwyf, gan achosi tramgwydd nid bychan iddynt. Mynnai mai yng Nghrist yn unig yr oedd iachawdwriaeth. Yr oedd dyled dyn i Dduw am ei bechod y tu hwnt i'w allu i dalu. Dim ond Person anfeidrol a allasai dalu'r fath ddyled. Dim ond un a oedd yn Dduw ac yn ddyn a allai ddioddef digofaint Duw anfeidrol, a thrwy hynny, dynnu ymaith bechodau'r byd.

Pwysleisia Charles yn y bregeth hon nad oes dim ond colledigaeth yn ein hwynebu ni, y ddynoliaeth, ohonom ein hunain, ond bod iachawdwriaeth gyflawn ar ein cyfer yn Iesu Grist.[20] Dyma neges ganolog yr efengyl fel y gwelai Charles hi,

---

[17] *TCGC.*

[18] *Cofiant,* t. 153.

[19] ibid., t. 157.

[20] Cyhoeddwyd ei bregeth ar Actau 4:12 yn *LTC,* III, t. 625-26.

ac yr oedd yn fawr ei sêl drosti. Hon oedd y genadwri oedd ganddo ar ei galon, y gwirioneddau a brofodd yn y Capel Newydd yn Llangeitho yn yr oedfa fythgofiadwy honno yn Ionawr 1773, neges oesol y ffydd Gristnogol sy'n dramgwydd i ddoethineb y byd hwn. Canlyniad y pwyslais diwinyddol hwn a'r sêl i'w ledaenu oedd ennyn dicter a gwrthwynebiad ei noddwraig[21] yn ogystal â thri unigolyn dylanwadol, sef y Parchedig Rice Anwyl, person Llanycil, Siôn Prys, Aber Rhiwlech, a Rhys Jones o'r Blaenau. Aethant hwy â'u cwyn at Berson y plwyf, y Parchedig Edward Owen a oedd yn byw yn Nolgellau, a diswyddwyd Charles.[22] Yn ôl y llythyr a ysgrifennodd at Sali ym mis Ebrill 1784,[23] daeth ei amser yn Llanymawddwy i ben o gwmpas Sul y Pasg y flwyddyn honno.

Gan fod sawl drws o wasanaeth wedi cau'n glep yn ei wyneb, rhaid oedd gofyn y cwestiwn o ba le y deuai cynhaliaeth iddo. Ceisiai rhai o'i gyfeillion, John Newton, er enghraifft, ei berswadio i ddychwelyd i Loegr, a gwasanaethu Teyrnas Nefoedd o fewn y gyfundrefn Anglicanaidd. Ond ni fynnai Charles adael Y Bala, a chynyddai ei argyhoeddiad mai gwasanaethu ei Arglwydd yng Nghymru oedd yr alwad arno. A'r cam nesaf ar hyd y llwybr hwn oedd mynd gyda Sali i gapel y Methodistiaid yn Y Bala ar nos Wener, yr ail o Orffennaf 1784, ac yno fe'i derbyniwyd yn aelod.

Gwenodd Rhagluniaeth yn garedig ar Thomas Charles yn Y Bala: yr oedd yn sicr o'i fara beunyddiol drwy siop Sali,

---

[21] W. P. Griffiths, 'Rhai Sylwadau am Grefydd ac Enwadaeth yng Ngwynedd rhwng c. 1790 a c. 1870' yn W. P. Griffiths (gol.), 'Ysbryd Dealltwrus ac Enaid Anfarwol': *Ysgrifau ar hanes crefydd yng Ngwynedd* (Bangor, 1999), t. 146.

[22] *LTC*, I, t. 475-76.

[23] Rhoddodd Alun Puw, Llanuwchllyn, gopi teipiedig o'r llythyr i mi, a mawr yw fy niolch iddo. Gweler hefyd *LTC*, 1, t. 474.

Siop Sali, Stryd Fawr, Y Bala

ac agorodd maes o weithgarwch ysbrydol iddo yng nghapel Sali. Yn ôl Beryl Thomas, 'Sicrhaodd hi [Sali] fod gan Thomas Charles yr amser a'r adnoddau i gyflawni ei genhadaeth addysgol a chrefyddol ...'[24]

Mae lle i ryfeddu at weithgareddau amrywiol Thomas Charles wrth iddo ymdaflu i fywyd crefyddol ei fro fabwysiedig. Yn Y Bala y dechreuodd ei waith gyda'r Ysgolion Cylchynol, ac yn tyfu o hynny, holl adeiladwaith yr Ysgolion Sul. Bu'n fawr ei gyfraniad i ddatblygiad seiadau a chapeli'r Methodistiaid ym Mhenllyn, ynghyd â chyfoethogi'n deall-twriaeth o'r hanes. Ac o'i lafur addysgol y tarddodd ei gynnyrch llenyddol, *Trysorfa Ysprydol, Trysorfa, Yr Hyfforddwr*, ac, wrth gwrs, *Y Geiriadur*. Yn ychwanegol at hyn, bu ei gyfraniad gyda golwg ar sefydlu Cymdeithas y Beibl yn allweddol.

---

[24] 'Mudiadau Addysg Thomas Charles', yn *HMGC2* (Caernarfon, 1978), t. 434.

Blaenori

Ni allai Thomas Charles, pe bai ond am ei waedoliaeth, osgoi bod yn arweinydd ymhlith ei gymrodyr. Ar unwaith fe ymdoddodd i flaenori'n gwbl naturiol ymhlith Methodistiaid Y Bala a thu hwnt. Yn ôl cofiannydd Charles yn *Trysorfa*, Ionawr 1819, 'Buan y canfu Mr. Rowlands ei werth: canys wedi gwrando arno yn pregethu yn Llangeitho, dywedodd, "*Rhodd yr Arglwydd i'r Gogledd ydyw Charles!*"'[25] Bu farw Daniel Rowland yn 1790 a Williams Pantycelyn y flwyddyn ddilynol, gan adael bwlch yn rhengoedd yr arweinwyr. Camodd Charles yn gwbl urddasol i'r adwy. Un awgrym o hynny yn lleol yw'r ffaith fod gweithredoedd cymaint o gapeli Penllyn ac Edeirnion wedi eu hymddiried i'w ofal, ac enwir ef yn amlach na neb o'i gyfoedion ymhlith yr ymddiriedolwyr.

Adeiladwyd capel cyntaf y Methodistiaid yn Y Bala yn 1757 yn ôl yr ysgrifen sydd ar lechen oedd ar wyneb y capel a godwyd yn 1809.[26] Helaethwyd y capel hwnnw yn 1782 a thrachefn yn 1792, yn bennaf oherwydd yr ymchwydd yn nifer y gwrandawyr a'r aelodau oherwydd diwygiadau chwarter olaf y ddeunawfed ganrif. Dyddiad y weithred gynharaf sydd ar gael yw 19 Mehefin 1778, ac felly sôn y mae am gapel cyntaf y Methodistiaid yn Y Bala. Darllenir ynddi mai ar dir a berthynai i Simon Lloyd yr adeiladwyd y capel, a soniwyd yn barod am gynhesrwydd cyfeillgarwch teulu Plas-yn-dre â Thomas Charles.[27]

---

[25] Llyfr III (Bala, 1822) t. 4.

[26] Mae'r garreg honno bellach mewn ffram addas yn cael ei harddangos yng nghyntedd Capel Tegid.

[27] Yr wyf yn ddyledus i Dr Iwan Bryn Williams, un o sylfaenwyr Cymdeithas Cantref, a Cheidwad Cist Henaduriaeth Dwyrain Meirionnydd, am gael gweld y gweithredoedd wrth imi baratoi darlith ar gyfer ymweliad Cymdeithas Capel â'r Bala, 17 Mai 2003.

Y llechen oedd ar fur capel 'Bethel'.

Yn dilyn rhagor o ddiwygiadau ar ddechrau'r bedwaredd ganrif ar bymtheg rhaid oedd ystyried dyfodol hir-dymor yr addoldy: nid oedd helaethu'r capel gwreiddiol dro ar ôl tro yn ateb y gofyn. Penderfynwyd ymroi i godi capel newydd, ac adeiladwyd ef yn 1809 a'i alw'n 'Bethel'. Yr oedd ynddo 627 o seddau, yn ogystal â dau gant o 'seddau rhydd'. Ar ben hynny yr oedd ynddo le i 250 sefyll.[28] Yn hwn cydaddolai Thomas Charles â'r 'hen gyfaill ffyddlon, John Evans' (1723-1817),[29] y ddau'n eistedd fynychaf gyda'i gilydd o dan y pulpud.[30] Yno hefyd yr addolai ei gyfaill coleg, Simon Lloyd, Plas-yn-dre, y pregethwyr Dafydd Cadwaladr (1752-1834), Pen-rhiw, a William Evans (1725?-1800), Y Fedw Arian, ynghyd â'r emynwyr, William Edwards (1773-1853), awdur 'Does neb ond ef, fy Iesu hardd / a ddichon lanw 'mryd,'[31] a William Jones (1764-1822), brodor o Gynwyd a ddaethai i weithio mewn ffatri ar dir Simon Lloyd.[32]

---

[28] Ieuan Gwynedd Jones (gol.), *The Religious Census of 1851: A Calendar of the Returns relating to Wales* (Caerdydd, 1981), t. 253

[29] Mae Charles yn cyfarch John Evans ar ddechrau llythyr iddo o Lundain, 'My Dear old Faithful Friend'. *LlGC. AMC.* 13342.

[30] *Y Drysorfa*, 1837, t. 74.

[31] Am hanes William Edwards a'i gyfraniad, gweler Thickens, *Emynau a'u Hawduriaid* (Caernarfon. Argraffiad newydd, 1961), tt. 190-91.

[32] ibid., t. 197.

Ef yw awdur y pennill, 'Yr Iawn a dalwyd ar y groes / Yw sylfaen f'enaid gwan'.

Ac yntau ar daith bregethu drwy ogledd Cymru ganol Mehefin 1797, galwodd y Parchedig Dafydd Jones, Llangan, heibio i'r Bala. Manteisiwyd ar ei bresenoldeb i drafod cwestiwn ymddiriedolwyr y capel, gan fod tri o'r brodyr a enwyd yn wreiddiol, y Parchedigion Daniel Rowland, Llangeitho, a Peter Williams, Caerfyrddin, ynghyd â Humphrey Edward o'r Bala, wedi marw. Mewn gweithred dyddiedig 10 Gorffennaf 1797, enwir Thomas Charles a David Edwards (a ddisgrifir fel 'Joiner') a Robert Griffith, ('Glover'), yn ymddiriedolwyr lleol, ynghyd â John Jones (1761-1822) Edern, Richard Lloyd (1771-1834) Gwalchmai, ac yn ddiweddarach o Fiwmares, a Robert Ellis (1758-1820) Caergwrle, yn ddiweddarach o'r Wyddgrug, ar ran Corff y Methodistiaid.

Charles, yn amlach na neb arall, a weinyddai'r sacrament o fedydd yng nghapel Bethel, fel y tystia'r dudalen gyntaf o Gofrestr Bedyddiadau'r capel. O'r tri bedydd ar ddeg a gofnodir arni, Thomas Charles a weinyddodd ar ddeg achlysur.[33] Yn y capel hwn yr arweiniodd Charles y gwasanaeth ordeinio cyntaf ymysg y Methodistiaid ym Mehefin 1811.

Capeli eraill ym Mhenllyn

Y mae ôl llaw Thomas Charles ar lawer achos arall ym Mhenllyn. Meddai Beryl Thomas eto, 'Nid achos gofid ond testun llawenydd i Charles oedd bod ei ysgolion yn nythfa Methodistiaeth. Ysgolion Methodistaidd oeddynt yn eu hanfod a buont yn un o'r prif gyfryngau i ledaenu a

---

[33] 'Register Book of Births, and Baptisms, of the Welch Calvinistic Methodists Assembling at BETHEL CHAPEL, Bala.'

chadarnhau Methodistiaeth yng ngogledd Cymru.'[34] Charles a awgrymodd yn 1791 y dylid sefydlu seiat yn Llanuwchllyn, ac o'r seiat honno y tyfodd yr achos yn hen gapel y Pandy, Glanaber yn ddiweddarach.[35] Ef a berswadiodd brawdoliaeth seiat Cwm Glan Llafar i gychwyn Ysgol Sul yn Nhŷ Cerrig, ac ohoni hi y tarddodd capel y Parc yn 1810.[36] Dilyn cynllun Charles a wnaeth John Lloyd, Tal-y-bont, ar gyfer adeiladu ffermdy newydd. O ddilyn y patrwm hwn byddai'r tŷ newydd, nid yn unig yn gartref cysurus iddo ef a'i deulu, ond byddai'n addas i gynnal oedfa.[37] Charles a awgrymodd sefydlu Ysgol Sul yn ardal Llidiardau, ac o weld ei llwyddiant, meddyliodd y byddai'n dda cael capel yn yr ardal er gwaethaf gwrthwynebiad Hugh Roberts, Tyn-pant, a oedd yn flaenor yng nghapel Tal-y-bont, a chyn hynny'n weithgar ymhlith aelodau hen seiat Pandy Tai'r Felin. Sicrhaodd Charles dir gan Simon Lloyd ac yn 1811 adeiladwyd capel Llidiardau.[38] Arloeswr yr achos yn ardal y Sarnau oedd Hugh Evans, gŵr a berthynai i'r to cyntaf o ysgolfeistri Thomas Charles, a dilynwyd yntau gan Mary Lewis, un arall o'i athrawesau cyflogedig.[39]

Gwelir, felly, fod Thomas Charles wedi cyrraedd Y Bala yn ŵr ifanc diwylliedig, yn llawn brwdfrydedd ac ynni ysbrydol, ac yn barod ar gyfer blynyddoedd mwyaf creadigol ei fywyd.

---

[34] Beryl Thomas, idem, t. 436.
[35] *MDM*, tt. 129-30.
[36] idem, t. 153.
[37] idem, t. 168.
[38] idem, tt. 178-79.
[39] idem, tt. 213-14.

2. Charles yr Addysgwr

Athroniaeth addysg

O'i argyhoeddiadau crefyddol y cododd gweithgarwch Charles ym myd addysg, ac mae'n eu mynegi'n glir yn rhagymadrodd *Crynodeb*, y catecism cyntaf a gyhoeddodd,

> Y mae'n drueni athrist i weled creaduriaid o berchen eneidiau anfarwol yn cael eu magu a'u meithrin mewn hollol anwybodaeth o'r pethau a berthynant i'w tragwyddol heddwch! Os na thrysorwn eu meddyliau â gwerthfawr drysorau Duw, fe lanwa'r byd a'r diafol hwy â'r trysorau melltigedig a gloddir o uffern … Pa ynfydrwydd yw gofalu am gyrff ac esgeuluso eneidiau ein plant! Llafurio'n galed ddydd a nos am ychydig o'r byd darfodedig hwn iddynt, a gadael eu heneidiau, yn ddiymdrech i'w hachub, i fyned gan gythreuliaid byth! … Anawdd gennyf gredu fod enaid y dyn hwnnw mewn cyflwr diogel, ag sydd yn ddifater am eneidiau eraill.[1]

Mae'r dyfyniad hwn yn amlygu'r cymhellion ysbrydol oedd o'r tu ôl i weithgarwch Thomas Charles ym maes addysg plant. Ond trwy roi'r lle blaenllaw i ystyriaethau crefyddol, daeth sgîl-effeithiau llesol i'w canlyn, sef cynnydd mewn llythrennedd, a hynny yn ei dro a esgorodd ar dwf aruthrol y wasg Gymraeg yn ystod y bedwaredd ganrif ar bymtheg. Hyn, yn sicr, a ysbardunodd yr adfywio a fu ar lenyddiaeth y Gymraeg yn ystod blynyddoedd nad oedd croeso i'n hiaith yn yr ysgolion gwladol.

Ysgolion Cylchynol

Sylwodd Charles pan weinidogaethai yn Llanymawddwy

---

[1] *Crynodeb o Egwyddorion Crefydd* (Trefecca, 1789), tt. ii-iii.

mor analluog oedd plant yr ardal honno i ddarllen. Ychydig yn ddiweddarach, ac yntau'n bregethwr teithiol gyda'r Methodistiaid, sylweddolodd pa mor anwybodus oedd y gynulleidfa y ceisiai bregethu'r efengyl iddynt, boent yn oedolion ynteu'n blant. Dyna paham, yng Ngorffennaf 1784, y dechreuodd gasglu plant Y Bala i'w gartref, a'u hyfforddi yn hanfodion y Ffydd. Llwyddodd y gwaith y tu hwnt i bob disgwyl: gymaint oedd y niferoedd a ddymunai ymuno â'r fenter fel nad oedd lle iddynt yn y tŷ. Gwelodd blaenoriaid y ddiadell Fethodistaidd eu cyfle, a gwahodd Charles i symud y gwaith newydd i'r capel,[2] a thynhaodd hynny eu perthynas â Thomas Charles.

Wrth iddo deithio'r ardaloedd i bregethu, byddai Charles yn cadw llygad a chlust yn agored i bwyso a mesur y posibilrwydd o sefydlu ysgol yno. O dipyn i beth creodd batrwm o addysg oedd wedi'i fodelu ar Ysgolion Cylchynol y Parchedig Griffith Jones (1683-1761), Llanddowror, sef cynnal ysgol am chwech neu naw mis mewn ardal, cyn symud ymlaen i leoliad gwahanol. Charles ei hun fyddai'n penderfynu am ba hyd y cynhelid yr ysgol. Meddai Charles mewn llythyr at un o'i gyfeillion,

> Yn y flwyddyn 1785 y dechreuodd y gwaith hwn. Ar y cyntaf, ni roddwyd ond *un* ysgolfeistr ar waith, ond fel y cynyddodd y cynorthwyon, yr oedd amlhad ar yr Ysgolion hyd oeddynt yn *ugain* o nifer. Rhai o'r Ysgolfeistri cyntaf, bu raid i mi fy hun eu dysgu: hwythau wedyn a fuant ddysgawdwyr i eraill a anfonais atynt i ddysgu bod yn Ysgolfeistriaid.[3]

Dyma ddatgelu meddylfryd Charles o weithredu'n gwbl

---

[2] *Coleg y Werin*, t. 66.
[3] *Cofiant*, t. 168.

ysgrythurol. Ei ysbrydoliaeth yw'r cyfarwyddyd a roddodd Sant Paul i'w gydweithiwr ifanc, Timotheus, 'Cymer y geiriau a glywaist gennyf fi yng nghwmni tystion lawer a throsglwydda hwynt i ofal pobl ffyddlon a fydd yn abl i hyfforddi eraill' (2 Timotheus 2:2). Dyma sut y gweithredodd Charles i ddiwallu anghenion tre'r Bala a'r ardaloedd cylchynol.

Er mwyn cyrraedd ei nod dewisai Charles ei athrawon yn ofalus ar sail dau ganllaw: eu gallu a'u duwioldeb. I'r diben o'u cymhwyso at eu swyddi fe'i hyfforddai hwynt yn ei dŷ ei hun yn Y Bala. Dechreuodd gyda saith o athrawon yn 1786, ond erbyn 1794 codasai'r nifer hyd at ugain, a nifer yr holl ysgolion drwy ogledd Cymru yn ddeugain.[4] Nid dysgu'r bobl i ddarllen yn unig oedd gwaith yr athrawon: yr oeddent i hyfforddi'r disgyblion ym mhrif egwyddorion Cristnogaeth.

Ymhlith y fintai hon a fanteisiodd ar yr Ysgolion Cylchynol yr oedd Richard Jones (1784-1840), gŵr a aned mewn tŷ o'r enw Tafarn-y-trip ym mhlwyf Ffestiniog.[5] Yn ystod haf 1790 anfonodd Thomas Charles 'ŵr duwiol i'r gymdogaeth i gadw ysgol rad Gymraeg'. Rhyfeddai llawer fod Richard Jones, bachgen chwech oed (ond a edrychai'n iau na hynny gan ei fod o gorff bychan ac eiddil) yn medru darllen y Beibl mor rhwydd. Torrodd diwygiad grymus yn ardaloedd Ffestiniog, Maentwrog a Thrawsfynydd tua'r amser y dechreuodd y bachgennyn hwn fel prentis o deiliwr. Ym mis Tachwedd 1800 daeth i'r Bala i weithio gyda'i gefnder, Edward Evans, a oedd yn ddilledydd yn y dref, gŵr y nodid ei fod yn dduwiol, ac yn flaenor rhagorol yn eglwys Y Bala.

Atgof cyntaf Richard Jones ar ôl cyrraedd Y Bala oedd am

---

[4] Eryn M. White, 'Addysg Boblogaidd a'r Iaith Gymraeg 1650-1800', yn Geraint H. Jenkins (gol.), *Y Gymraeg yn ei Ddisgleirdeb* (Caerdydd, 1997), t. 335.

[5] Lewis Jones, Y Bala, *Hanes am y diweddar Barch. Richard Jones, Bala, ...* (Llanrwst, 1841).

fod mewn Cyfarfod Gweddi yn llofft fawr tŷ Thomas Charles
y noson cyn iddo wynebu'r llawdriniaeth o dorri ymaith ei
fawd. Yr oedd yn cofio fod yno hen ŵr, Richard Owen, yn
gweddïo'n daer am arbed bywyd Thomas Charles, gweddi a
atseiniai o gyfeiriadaeth at addewid Duw i'r Brenin Heseceia
y byddai'n gwella o'i afiechyd ac yn cael byw bymtheng
mlynedd arall.

Gydag amser ymaelododd Richard Jones yn y capel,
dod yn athro yn yr Ysgol Sul, a dod yn rhan flaenllaw yng
nghynlluniau Charles ar gyfer ei ysgolion. Symudodd i
Drawsfynydd a dechreuodd bregethu yng nghapel Cwm
Prysor yn 1815. Dychwelodd i'r Bala ac ordeiniwyd ef i gyflawn
waith y weinidogaeth yn 1825 a bu'n fawr ei ofal am aelodau'r
Capel Mawr. Ef, yn amlach na neb, a weinyddai sacrament
y bedydd yn y capel rhwng Mawrth 1830 a Mehefin 1839.[6]
Bu'n ysgrifennydd Cyfarfod Misol Sir Feirionnydd am dymor
maith. Cofir amdano fel enghraifft syber o ffrwyth rhagorol
gweithgareddau Thomas Charles.

Estyn y cortynnau ...

Ymhlith y dynion ieuainc eraill a hyfforddodd Charles yr
oedd dau frawd o Langywer, Daniel a Robert Evans, a buont
yn gyfrwng i ledaenu dylanwad Thomas Charles a'i ysgolion
i ardaloedd y tu hwnt i'r Bala. O fewn Sir Feirionnydd y
gwasanaethodd Daniel Evans (c. 1788-1868), yn benodol yn
ardaloedd Harlech a Phenrhyndeudraeth,[7] ond aeth Robert
dros y Berwyn a gwasanaethu'r Deyrnas ym Maldwyn.[8] Dilyn
hyfforddiant yr oedd yn y Bala i'w baratoi ar gyfer bod yn

---

[6] 'Register Book of Births, and Baptisms, of the Welch Calvinistic
Methodists Assembling at BETHEL CHAPEL, Bala.'

[7] *Y Drysorfa*, 1869, t. 31 a 1871, t. 39 a 115.

[8] *Y Drysorfa*, 1863, t. 155 a 235; a 1895, t. 11.

wehydd pan ddaeth i sylw Charles yn yr Ysgol Sul. Gwelodd ddeunydd athro ynddo, yn arbennig ym meysydd canu, darllen ac egluro hanfodion yr efengyl. Tua 1807, pan oedd yn dair ar hugain oed, anfonodd Charles ef i Langynog i gynnal un o'i Ysgolion Cylchynol. Oddi yno aeth i Lansilin ac yna i Lanrhaeadr ym Mochnant. Yn 34 oed fe briododd ac ymsefydlu yn Llanidloes, gan dreulio un mlynedd ar bymtheg ar hugain yno. Ymddeolodd o'i waith fel athro er mwyn canolbwyntio ar bregethu, ac ordeiniwyd ef yn Sasiwn Y Bala yn 1828. Bu farw ei wraig, ond ailbriododd yntau yn 1854 a symud i Aberteifi. Yn y dref honno y bu farw yn Awst 1860.

Mab Pendugwm, Llanfihangel yng Ngwynfa, oedd John Davies (1772-1855) a fedyddiwyd yn eglwys y plwyf, Meifod.

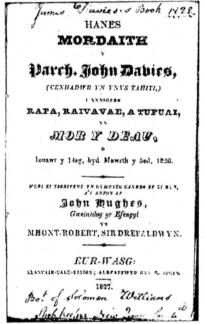

Derbyniasai beth addysg yn un o Ysgolion Madam Bevan a daeth dan ddylanwad y Methodistiaid. Ymaelododd yn seiat Pen-llys, ac yn fuan gwelodd Thomas Charles ddyfodol iddo fel un o'i athrawon. Dechreuodd ar ei waith yn Llanrhaeadr ym Mochnant, a symud oddi yno i Lanwyddelan. Ac yntau eisoes yn efengylu yn y bröydd hyn, ymdeimlodd â galwad i'r Maes Cenhadol. Gadawodd John Davies Gymru yn 1800, a hwylio i Ynys Tahiti dan nawdd Cymdeithas Genhadol Llundain, a gwasanaethu yno hyd ei farw, heb ddychwelyd gymaint ag unwaith i'w famwlad. Eithr gwyddys iddo gael o leiaf un ymwelydd o Gymru yn ystod y cyfnod hirfaith hwn, sef Betsi Cadwaladr (merch Dafydd Cadwaladr, Pen-rhiw, Y Bala), pan oedd hithau ar ei chrwydriadau mynych ar draws y byd.[9]

Llafuriodd John Davies yn ddiwyd drwy'r blynyddoedd, yn pregethu, bugeilio, addysgu ac yn goruchwylio adeiladu capeli, yn ogystal ag ysgrifennu. Ef oedd yr awdur cyntaf i gyhoeddi gramadeg o iaith Ynys Tahiti. Ar ben hyn, cyhoeddodd eiriadur amlieithog sy'n dal yn safonol heddiw. Canodd nifer o emynau yn yr iaith, a chyfieithodd lawer o glasuron y traddodiad Anghydffurfiol, yn ogystal â thri ar ddeg o lyfrau'r Beibl.[10]

Y trydydd cymeriad a fu'n amlwg ym Maldwyn yw John Hughes (1775-1854).[11] Fe'i ganed i rieni diarhebol o dlawd, David Hugh a Jane Ellis, yn Y Figyn, yng ngogledd plwyf Llanfihangel yng Ngwynfa. Bu farw'i dad pan oedd John newydd gael ei seithfed pen-blwydd, a bu'n dda iawn gan ei fam dderbyn cymorth gan y plwyf i fagu dau o fechgyn. Pan oedd o gwmpas ugain oed aeth i weithio at David Davies, gwehydd yn Halfen Isaf, Llanfihangel, tad John Davies y soniwyd amdano uchod. Profodd dröedigaeth yn ystod haf 1796 dan weinidogaeth Thomas Jones,

John Hughes

---

[9] Beryl H. Griffiths, *Mamwlad* (Llanrwst, 2016), tt. 22-23.

[10] *Y Drysorfa*,1894, t. 127.

[11] *Y Drysorfa*, 1854, t. 313. Am astudiaeth ddiweddarach, gweler E. Wyn James, 'John Hughes, Pontrobert a'i Gefndir' yn *CH*, 37 (2013), tt. 72-92.

Llanwnnog (bu farw ym Mehefin 1835), ac ymaelodi, fel John Davies, yn seiat Pen-llys. Daeth ei sêl dros yr efengyl a'i allu fel athro Ysgol Sul i sylw Thomas Charles, ac fe'i cyflogwyd ganddo. Gwasanaethodd yn Ysgolion Cylchynol Llanwrin, Llanidloes, y Berth-las, Llanfihangel yng Ngwynfa, a Phontrobert. Dechreuodd bregethu yn 1802, ac ordeiniwyd ef yn Sasiwn Y Bala yn 1814. Yn y cyfnod y gwasanaethai ym mhlwyf Llanfihangel, lletyai am gyfnod yn Nolwar Fach, ac arweiniodd hynny at briodi Ruth Evans, y forwyn, yn 1805. Tua 1810 ymgartrefodd y teulu yn Nhŷ Capel Pontrobert.

Wedi iddo adael Llanfihangel dechreuodd John Hughes lythyru'n gyson ag Ann Griffiths, oherwydd yr oedd hithau'n aelod o seiat Pen-llys, ac mae'r ohebiaeth a fu rhyngddynt ymhlith trysorau ysbrydol ein cenedl. Gwisgai'n hynod o flêr, a'i lais, yn ôl Dr Lewis Edwards, 'y mwyaf ansoniarus ac aflafar a glywsoch erioed,' ond mae'r Athro E. Wyn James yn dyfynnu'r deyrnged hon iddo gan un o drigolion Pontrobert a ymfudodd i Connecticut, 'Gŵr mawr oedd John Hughes, mawr ei gorff ac enaid, mawr o feddwl a llafur, mawr o lais ac awdurdod, mawr o ddylanwad a defnyddioldeb.' Cyhoeddodd amryw gofiannau i'w gyfoedion, yn arbennig ym Maldwyn, gyda'i gofiant i Ann Griffiths yr enwocaf ohonynt.[12] Yr oedd yn emynydd toreithiog, ond cymharol ychydig o'i ganu a gydiodd yn nychymyg golygyddion llyfrau emynau'r enwadau. Cynhwyswyd naw ohonynt yn *Llyfr Emynau y Methodistiaid Calfinaidd a Wesleaidd*, 1927, ond dim ond un a oroesodd hyd 2001 a'i gynnwys yn *Caneuon Ffydd*, sef 'O! anfon di yr Ysbryd Glân / Yn enw Iesu mawr', ond, ysywaeth, nid yw'r emyn hwnnw fel y daeth o law John Hughes. Pedwar pennill

---

[12] Gweler 'Cofiant a Llythyrau Ann Griffiths,' *Y Traethodydd*, 1846, tt. 420-33, a *Cofiant Mrs. Ann Griffiths, Dolwar Fechan ... wedi ei gasglu a'i ysgrifenu gan y Parch. John Hughes, Pont Robert* (Llanfyllin, 1847).

o chwech a genir bellach, ac nid ydynt yn y drefn wreiddiol.[13] Diau mai cymwynas werthfawrocaf John Hughes ym myd yr emyn Cymraeg oedd diogelu emynau Ann Griffiths oddi ar gof Ruth ei wraig. Oni bai am weledigaeth Thomas Charles, ac i'w ddylanwad groesi'r Berwyn, byddai cynhysgaeth Gristnogol Sir Drefaldwyn, emynyddiaeth Cymru, a diwylliant, moes, a chrefydd Ynys Tahiti dipyn tlotach.

Polisi iaith

Amcan pennaf Charles wrth sefydlu'r ysgolion hyn oedd lles ysbrydol ei gyd-Gymry, a'i argyhoeddiad oedd mai trwy ddysgu'r disgyblion i ddarllen y Beibl yn eu mamiaith, y Gymraeg, yr oedd cyrraedd ei nod. Yn wir, meistroli'r Gymraeg i Charles oedd y porth i bob cynnydd mewn gwybodaeth, gan gynnwys yr iaith Saesneg.[14] Diau mai'r rheswm paham fod Charles, fel Griffith Jones o'i flaen, yn trafod dwyieithrwydd o fewn cyd-destun ysgolion a wasanaethai ardaloedd uniaith Gymraeg oedd yr anhawster a brofai i gael gan ei gyfeillion dylanwadol a chyfoethog yn Lloegr i amgyffred fod yna ieithoedd ar wahân i Saesneg yn Ynysoedd Prydain, ieithoedd ag iddynt hanes, llenyddiaeth, a dysg hŷn na'u hiaith hwy.

Mae'n werth pwysleisio fod yr argyhoeddiad hwn o le'r famiaith yn gwbl sylfaenol i holl ymdrechion addysgol Thomas Charles fel y dengys ei gefnogaeth i'r Wyddeleg a'r Aeleg. Yn y maes hwn, gweithredai'n gwbl groes i bolisi'r SPCK a 'ddatganodd yn glir mai ei bwriad oedd caniatáu i'r

---

[13] Am yr emyn yn ei gyfanrwydd gwreiddiol gweler *Goleuad Cymru*, 1823, t. 281.

[14] Geraint H. Jenkins, Richard Suggett ac Eryn M. White, 'Yr Iaith Gymraeg yn y Gymru Fodern Gynnar,' yn Geraint H. Jenkins (gol.), *Y Gymraeg yn ei Disgleirdeb* (Caerdydd, 1997), t. 89 ar sail *LTC*, III, t. 367.

iaith Aeleg ddihoeni ...'[15] Ymgymerodd Charles â mis o daith drwy Iwerddon yn ystod haf 1807.[16] Wrth iddo weld cyflwr ysbrydol y Gwyddelod, mae'n mynnu mai'r egwyddor hon o ddysgu darllen yr Ysgrythurau yn y famiaith yw'r ateb. Ysgrifennodd at Joseph Tarn, Ysgrifennydd Cymdeithas y Beibl, ym Medi 1807:

> The general diffusion of knowledge among the Irish appears to me utterly impractible unless instruction is conveyed to them in their own native tongue. The Irish language is as generally spoken through all parts of Ireland as the Welsh is through Wales. An attempt to instruct the Irish through the medium of English is as vain as to teach the Welsh, that is, utterly impracticable as to hundreds of thousands of them. The Irish are, in general, exactly in the same state as the Welsh were in about 250 years back, without the Bible among them in the language they generally understand, and without being able to read it ... They have been lamentably neglected, and their amelioration is impossible without Divine Knowledge; and Divine Knowledge cannot be conveyed to them without teaching them to read their own language and furnishing them with Bibles and preaching to them in the same.[17]

Rai blynyddoedd yn ddiweddarach ysgrifennodd 'rhai gwŷr duwiol' o'r Alban at Charles yn holi am gyfarwyddyd gan eu bod 'yn ofidus eu meddyliau oherwydd anwybodaeth niferi mawrion yn ucheldiroedd yr Alban.' Eu cais yn syml oedd cael eu cyfarwyddo ganddo ar sut i sefydlu Ysgolion

[15] Eryn M. White, 'Addysg Boblogaidd a'r Iaith Gymraeg 1650-1800', yn Geraint H. Jenkins ibid., t. 336.

[16] *Cofiant*, t. 187.

[17] Dyfynnir yn *LTC*, III, t. 176.

Rhad a Chylchynol yng ngogledd y wlad, 'lle y mae cannoedd o filoedd o bobl yn cyfanheddu gwlad ac ynysoedd meithion, heb fedru darllen y Beibl yn eu hiaith (*Gaeleg*) eu hunain, nac mewn un iaith arall.' Ond siom enfawr i Charles oedd deall fod yr ysgolion a sefydlwyd o ganlyniad i'w gyfarwyddyd yn defnyddio'r Saesneg yn unig fel cyfrwng hyfforddiant, er bod o leiaf dri chan mil heb fedru deall pregeth yn yr iaith honno. Yn wyneb hyn bu'n gohebu drachefn â'i gyfeillion yng Nghaeredin, gan ddangos iddynt oferedd cynnal ysgolion uniaith Saesneg yn y bröydd Gaeleg eu hiaith, a'u hannog i dderbyn patrwm ei waith ef ym Mhenllyn. Canlyniad hyn yn 1811 oedd sefydlu 'Cymdeithas at gynnal Ysgolion Gaeleg' yn Ucheldiroedd yr Alban er mwyn dysgu'r trigolion i ddarllen Gair Duw yn eu mamiaith.[18]

Mae Dr Tudur Jones yn olrhain argyhoeddiadau Charles am werth y Gymraeg i rai o ddamcaniaethau amheus y ddeunawfed ganrif (syniadau Dr William Owen Pughe) fod 'i'r Gymraeg berthynas agos â'r Hebraeg.' Yna ychwanega:

> Hawdd dangos mor anghywir yw'r ddamcaniaeth ieithegol y tu ôl i'r siarad yma, ond yr oedd yn rhagluniaethol fod addysgydd mwyaf dylanwadol ei genhedlaeth yn ei choleddu. Beth petai Charles wedi credu nad oedd urddas na hynafiaeth yn perthyn i'r Gymraeg? Beth petai ei holl ysgolion yn dysgu Saesneg?[19]

Yr Ysgol Sul

Yr oedd un gwahaniaeth arwyddocaol rhwng Ysgolion Cylchynol Griffith Jones a rhai Thomas Charles. Unwaith

---

[18] *Cofiant* ..., t. 181 ynghyd â'r troednodyn, tt. 181-82.

[19] R. Tudur Jones, 'Diwylliant Thomas Charles o'r Bala,' yn J. E. Caerwyn Williams (gol.), *Ysgrifau Beirniadol IV* (Dinbych, 1969), t. 115.

y gadawai ysgol Griffith Jones ei hardal, peidiai'r addysgu yno. Ond dechrau'r broses o ddysgu a wnâi ysgolion Thomas Charles: eu hanfod oedd paratoi'r tir ar gyfer sefydlu Ysgolion Sul. Yn ôl y *Cofiant*, dechreuodd yr ysgolion hyn yng Nghymru oddeutu 1789, ar ôl cael aml dystiolaeth gref am y lles a'r buddioldeb ohonynt yn amryw fannau yn Lloegr.[20]

Mewn llythyr a ysgrifennodd Charles at gyfaill yn Llundain ym Medi 1808, mae'n sôn fel y tarddodd yr Ysgolion Sul yn uniongyrchol o'r Ysgolion Cylchynol:

> Ffrwyth o'r Ysgolion Cylchynol hyn yw ein Hysgolion Sabothol sydd yn lluosog ar led y wlad, oherwydd heb y rhai cyntaf, rhy anodd fuasai cael dysgawdwyr i ddwyn y lleill ymlaen.[21]

Ym merw ysbrydol a mynych ddiwygiadau'r nawdegau, carlamu ymlaen oedd hanes y ddwy gyfundrefn. Adroddwyd yn Sasiwn Llanrwst, Ionawr 1795,

> Llwyddodd Duw yr Ysgolion Rhad ac Ysgolion y Suliau, yn hynod trwy'r wlad. Y mae'r ieuengtid yn aml â'u hwynebau at yr Efengyl.[22]

Cydnabyddir mai Sais o'r enw Robert Raikes (1736-1811) a drefnodd yr Ysgol Sul gyntaf, a hynny yng Nghaerloyw yn 1780, gyda'r bwriad o ddarparu addysg elfennol yn ogystal ag addysg grefyddol i blant a weithiai mewn ffatrïoedd yn ystod dyddiau'r wythnos. Cymhellion cymdeithasol a'i symbylodd, ac er mai 'cwricwlwm Beiblaidd' a gyflwynid i'r plant, nid oedd unrhyw bwyslais gan Raikes ar achub eneidiau.[23] Gan

---

[20] t. 173.
[21] ibid., t. 168.
[22] *Trysorfa Ysprydol*, 1799, t. 116.
[23] *Coleg y Werin*, tt. 24-26.

fod Charles wedi dechrau ar ei weinidogaeth yng Ngwlad yr Haf, y sir agosaf at Sir Gaerloyw, mae'n bur debyg ei fod yn gwybod rhywfaint o'r hanes.

Y mae llawer awgrym fod yna enghreifftiau o Ysgolion Sul cyn y rhai a sefydlodd Charles. Mynnai Evan Davies, llyfr-rwymwr yn Y Bala, y gwyddai am Ysgol Sul mewn dau dŷ yn y dref cyn bod Charles yn ymgartrefu ynddi.[24] Mae'r Parchedig Robert Owen (Pennal) yn cynnwys adroddiad y Parchedig Robert Parry am ddechrau'r Ysgol Sul yn ardal Trawsfynydd, mewn tŷ o'r enw Bwlch-gwyn yn 1787. Cysylltir y symudiad hwn ag enw Edward Roberts, pregethwr oedd yn byw yn Nhrawsfynydd ac a lysenwid 'Ficer Crawcallt'. Ac yntau ar y ffordd i Fryn-gath i bregethu, cydgerddai Edward gyda'i gyfaill Hugh Roberts. Trafodwyd y syniad o 'wneud ysgol ddydd Sul, i ddysgu plant a phobl ieuainc i ddarllen'. Dechreuwyd ar y gwaith yn hen gapel y Traws. Ymhen ychydig Suliau daeth Thomas Charles i bregethu i'r ardal ac ofnid y byddai'n disgyblu'r ddau gyfaill am 'dorri'r pedwerydd gorchymyn' drwy gynnal ysgol ar y Saboth. Ond eu siomi ar yr ochr orau a gawsant pan ddatganodd Charles 'fod y gwaith yn dda', ac y byddai'n eu cynorthwyo hyd eithaf ei allu.[25]

Nid dynwared Ysgolion Sul Lloegr na rhai tebyg iddynt yng Nghymru a wnaeth Thomas Charles, ond addasu'r holl syniad at yr amgylchiadau fel y gwelai'r angen ym Mhenllyn a'r cyffiniau. Mynn Thomas Jones, Dinbych, mai Charles oedd y cyntaf i sefydlu ysgolion i ddysgu oedolion i ddarllen.[26] Ys dywedodd Dr R. T. Jenkins, '... yn ei ddwylo ef [Thomas Charles] ymddengys i'r peth [yr Ysgol Sul] gymryd gafael yn

---

[24] *LTC*, II, t. 24 ar sail *Y Goleuad*, 17 Gorffennaf 1880.

[25] *Hanes Methodistiaeth Gorllewin Meirionydd*, Cyfrol II (Dolgellau, 1891), tt. 244-45.

[26] *Trysorfa*, Llyfr III, Ionawr 1819, t. 5.

nychymyg y werin, mewn modd na wnaethai hyd yn hyn.'[27]

Darllen a deall

Trosglwyddwyd dwy elfen amlwg o amserlen yr Ysgolion Cylchynol i'r Ysgolion Sul. Y gyntaf oedd dysgu'r disgyblion i ddarllen y Beibl Cymraeg.[28] I gyrraedd yr amcan hwn rhennid yr ysgol yn chwe dosbarth. Tasg y dosbarth cyntaf fyddai dysgu'r wyddor, cyn i'r disgyblion symud ymlaen i'r ail ddosbarth lle dysgid sillafu a darllen adnodau byrion. Yn y trydydd dosbarth disgwylid i'r disgyblion sillafu a darllen adnodau a geiriau o un a dwy sillaf. Y gamp yn y pedwerydd dosbarth oedd darllen adnodau hwy. Yn y pumed dosbarth, canolbwyntid ar ddarllen y Testament Newydd, ac erbyn y chweched, sef y dosbarth hynaf, yr oedd gofyn i'r disgyblion allu darllen unrhyw ran o'r Beibl. Ni choleddid darllen undonog, sillafog a pheiriannol, yn hytrach rhoddid sylw i dôn addas a llais priodol. Y bwriad o hyd oedd meithrin dealltwriaeth o'r hyn a ddarllenid, a chyfleu'r ystyr i'r gwrandawyr wrth ddarllen yn gyhoeddus.

Cateceisio

Yr ail elfen yng ngweithgarwch yr ysgolion hyn oedd hyfforddi'r disgyblion ym mhrif bynciau'r Ffydd Gristnogol, a chateceisio oedd erfyn Charles i gyrraedd y diben hwn. Mae'n wir nad yw cateceisio, sef dysgu rhesi o gwestiynau ac atebion, fel ffordd o addysgu yn ffasiynol bellach, ond i ddeall a gwerthfawrogi gwaith Thomas Charles, mae'n rhaid cydnabod ei fod yn cerdded un o brif lwybrau'r oesoedd ym

---

[27] *Hanes Cymru yn y Ddeunawfed Ganrif* (Caerdydd, 1930), t. 99.

[28] Ceir crynodeb defnyddiol Huw John Hughes o'r disgwyliadau a gyhoeddwyd yn *Rheolau* 1813 yn *Coleg y Werin*, tt. 80-81.

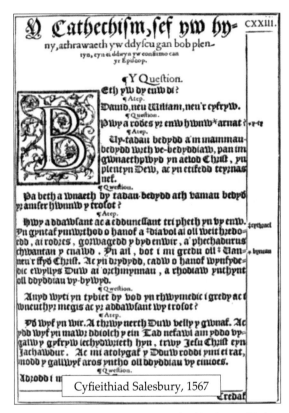

Cyfieithiad Salesbury, 1567

myd hyfforddiant Cristnogol. Cyn belled yn ôl â'r ail ganrif o oes Crist, y *Catêchoumenoi* oedd cwmni o ddarpar-aelodau a hyfforddid ar gyfer sacrament y bedydd, a byddai deunydd yr addysgu yn cynnwys elfennau o holi ac ateb.

Maes y catecismau, yn ddieithriad, fyddai tair dogfen sylfaenol yr Eglwys Gristnogol drwy'r oesau, sef Credo'r Apostolion, Gweddi'r Arglwydd, a'r Deg Gorchymyn.[29] Yn dilyn y Diwygiad Protestannaidd rhoddai Martin Luther, John Calfin, ac eraill, le blaenllaw i'r arfer hwn, a daeth bri arno yn Lloegr

---

[29] Gweler yr erthyglau 'Catechesis', 'Catechism', a 'The Prayer-Book Catechism' yn F. L. Cross (gol.), *The Oxford Dictionary of the Christian Church* (Llundain, 1958).

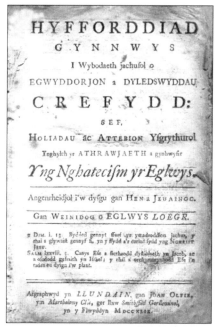

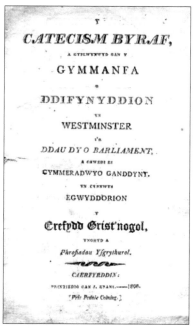

yn sgîl Diwygiad arwynebol Harri VIII. Yng Nghymru ymddangosodd Catecism yr Eglwys Anglicanaidd yng nghyfieithiad William Salesbury o'r *Llyfr Gweddi Gyffredin* yn 1567,[30] ac ar hwnnw y seiliodd Griffith Jones, Llanddowror, yr enwocaf o'i lyfrau at wasanaeth ei Ysgolion Cylchynol, *Hyfforddiad ... i Wybodaeth Jachusol o Egwyddorion a Dyledswyddau Crefydd* yn 1749. Ymddangosodd yr enwocaf o gatecismau'r Ymneilltuwyr, Catecism hwyaf Cymanfa Westminster, tua chanol yr ail ganrif ar bymtheg. Dilynai hwn Gyffes Ffydd diwinyddion Westminster yn ogystal â'u *Catecism Byraf*.[31] Gwisgwyd hwn mewn Cymraeg graenus yn

---

[30] Gweler *Llyfr Gweddi Gyffredin 1567*: adargraffiad gyda rhagymadrodd gan Melville Richards a Glanmor Williams (Caerdydd, 1965).

[31] Erthyglau 'Catechisms' a 'Catechumens' yn J. D. Douglas (gol.), *The New International Dictionary of the Christian Church* (Caerwysg, 1974).

1806 gan weinidog Llanuwchllyn, y Parchedig Ddr George Lewis (1763-1822).

Mae dylanwad *Y Catecism Byraf* i'w weld ymhlith Methodistiaid Calfinaidd hyd heddiw. Cwestiwn cyntaf y catecism hwnnw yw 'Pa beth yw diben pennaf dyn?' Atebir: 'Diben pennaf dyn yw gogoneddu Duw, a'i fwynhau ef yn dragywydd.' Mae brawddeg olaf Cyffes Fer ddiweddaraf y Cyfundeb yn darllen, 'Credwn mai diben pennaf dyn yw gogoneddu Duw a'i fwynhau byth ac yn dragywydd.' Ac mae'r traddodiad eto'n fyw, oherwydd yn 2002 cyhoeddwyd cyfieithiad newydd o'r *Catecism Byrraf* i Gymraeg cyfoes gan y Parchedig Athro Euros Wyn Jones.

Swyddogaeth cateceisio yng ngolwg Charles a'r traddodiad y safai ynddo oedd gosod strwythurau diwinyddol y ffydd yn y meddwl. Mantais hynny i wrandäwr pregeth neu ddisgybl yn yr Ysgol Sul fyddai gwybod pa le i osod y gwirioneddau a glywid mewn pregethau neu wers ar silffoedd deallusol y meddwl. Esgorai hynny ar ddwy gymwynas. Nid yn unig y byddai'r gwrandäwr yn gallu cofio'r bregeth neu'r wers yn well, ond gallai ddeall mwy, yn ogystal â gweld cysylltiad rhwng un gwirionedd ag un arall. Byddai hynny'n ei arwain at ufuddhau i'r anogaeth ar ddiwedd y bregeth.

Diben Charles wrth holi'r plant yw eu goleuo yn yr Ysgrythurau. Amcenid gwneud hynny drwy eu cymell i ddysgu adnod, ac yna eu holi arni. Cyhoeddodd enghreifftiau o'r holi hwn, ynghyd â'r atebion a ddisgwylid, ar ddiwedd ei gatecism *Crynodeb o Egwyddorion Crefydd*, 1789. Y cyntaf ohonynt yw Genesis 3:15, 'Gelyniaeth hefyd a osodaf rhyngot ti a'r wraig, a rhwng dy had di a'i had hithau: efe a ysiga dy ben di, a thithau a ysigi ei sawdl ef.' Y cwestiwn cyntaf a ofynnir yw, 'Pwy sydd i ni i'w ddyall yma wrth Had y wraig?' Mae'r ateb yn arwyddocaol, 'Iesu Grist,' oherwydd mae'n dadlennu agwedd Crist-ganolog Charles tuag at y Beibl. Ac yn y cywair cynnes hwn mae dwy dudalen o gwestiynau ac atebion yn parhau.[32]

Cymanfa Ysgolion

Ymddengys mai ym Mlaenannerch, Sir Aberteifi, yn 1808 y cynhaliwyd y Gymanfa Ysgolion gyntaf, lle daeth nifer o ysgolion at ei gilydd i gael eu holi'n gyhoeddus, ond mae'n gwbl sicr mai Thomas Charles a gyflwynodd yr arfer hwn i ogledd Cymru.[33] Mewn llythyr 'at ferch fonheddig ieuangc', ('Bala, 1808' sydd ar waelod y llythyr), edrydd Charles beth o hanes y Gymanfa Ysgolion:

> Yr ydym y flwyddyn hon wedi cynnal Cymanfaoedd o amryw Ysgolion, yn cyfarfod mewn rhyw ganolfannau i gael eu cateceisio ynghyd ar goedd. ... Y mae testun yn cael ei roddi i bob Ysgol, ac ar hwn y maent i gael eu holi; ... Ar amser penodedig, dydd Saboth yn gyffredin, mae plant amryw Ysgolion yn ymgynnull, a'u meistriaid yn eu canlyn: ac y mae llawer ohonynt wedi cerdded deng milltir erbyn wyth o'r gloch y bore. Wrth gychwyn y maent yn cyfarfod ei gilydd mewn lle penodol, ac ar yr awr osodedig hwy a weddïant ac a ganant bennill o hymn efo'i gilydd, ac yna teithiant ymlaen yn siriol ac mewn trefn i'r lle cyfarfod.[34]

Yna â Charles rhagddo i ddisgrifio'r achlysur pan gynhaliwyd Cymanfa Ysgolion yn Y Bala:

---

[32] (Trefeca, 1789), tt. 78-80.

[33] Mae Syr John Rhys yn mynegi'i farn mai Thomas Charles a ddechreuodd y Gymanfa Ysgolion oddeutu 1807-08. Gweler *The Welsh People* (Llundain, chweched argraffiad, 1913), t. 508.

[34] *Cofiant*, t. 175.

Gan nad oes un lle addoliad yn ddigon helaeth i gynnwys y dyrfa fawr iawn o bobl a fydd yn ymgynnull ar yr achlysuron hyn, bu gorfod arnom gyfodi dau esgynlawr (llwyfan) ... un yn dra helaeth i'r plant sefyll arni, dwy neu dair Ysgol ar unwaith, a'r llall i'r Cateceiswyr gyferbyn â hi, bymtheg neu ddeunaw llath oddi wrthi: a'r cyfwng rhyngddynt sydd i'r gynulleidfa a safent i wrando. Yr ydym yn dechrau ar y gorchwyl yn fore, ac y mae'r dydd oll yn cael ei dreulio ar yr holiadau hyn. Mae pob oedfa yn parhau am dair neu bedair awr, ac yn gyffredin hi a ddiweddir â chyngor i'r plant ac i'r gynulleidfa ... Bu gennym, ar yr achosion hyn, o bymtheg i ugain o Ysgolion yn cyd-ymgynnull.[35]

Pa les a ddeilliai o'r Cymanfaoedd hyn? Yn ôl Charles, yr oedd llawer:

Hyd yn hyn y mae'r Cymanfaoedd wedi bod yn dra buddiol. Mae'r rhagbaratoad yn rhoi gwaith am ddau fis i'r bechgyn a'r genethod. ... Y mae'r holiadau cyhoeddus hefyd yn fuddiol iawn i'r gwrandawyr cynulledig ... Pan fyddo gwaith y diwrnod drosodd arweinir y plant gan eu meistriaid, neu ynte tan ofal eu rhieni, i'w cartrefleoedd.[36]

Rhoddodd y Gymanfa Ysgolion lwyfan cyhoeddus i holl waith yr Ysgol Sul. Bu'n gyfrwng i ledaenu ei dylanwad yn ogystal â gorchfygu ambell ragfarn yn ei herbyn a godai o'r feirniadaeth annheg fod 'dysgu' ar y Sul yn torri'r Saboth.

Cyfraniad

Mae'n amhosib mesur yn wyddonol gyfraniad Charles i fywyd y genedl drwy'r Ysgolion Cylchynol a'r Ysgolion Sul,

---

[35] idem.
[36] idem, t. 176.

na chyfrif pa nifer o blant ac oedolion a fu'n eu mynychu,
ond mewn dwy o'r marwnadau a ganwyd o fewn ychydig
wythnosau ar ôl ei farw, crybwyllir y ffigwr o ugain mil. Dyma
dystiolaeth Dafydd Cadwaladr (1752-1834), Methodist, ac aelod
o'r un capel â Charles, wrth adrodd yr hyn a gredai ef:

> Dros ugain mil o blant yr ysgol rad,
> Yn oer eu cri, sy'n gwaeddi, O fy nhad! ...
> Bod ei sylfaenwr cyntaf yn y bedd,
> Mae teulu'r ffydd i gyd yn brudd eu gwedd.[37]

Ac mae John Jones (Ioan Tegid, 1792-1852), yr Anglicanwr, yn
nodi'r un nifer:

> Ugein-mil o'r Cymry
> A ddysgwyd fal hynny.[38]

Ryw dair neu bedair blynedd yn ddiweddarach, ysgrifennodd
Thomas Jones, Dinbych, (yn ôl pob tebyg) fod 'miloedd lawer'
wedi eu holi a'u cateceisio ganddo.[39]

Gwelir yn yr adran hon fod Thomas Charles wedi arloesi
mewn sawl maes, o gasglu plant at ei gilydd, cymhwyso
athrawon ar eu cyfer, ehangu'r ddarpariaeth i gynnwys
oedolion, heb sôn am gryfder ei argyhoeddiadau ynghylch
lle'r famiaith mewn addysg. Cododd yr holl weithgarwch
hwn o'r cymhellion gorau, lles eneidiau ei gyd-Gymry, ac mae
cenhedlaethau a'i dilynodd yn ddyledwyr iddo am barhad yr
iaith.

---

[37] *Ehediadau y Meddwl ar yr achlysur o Farwolaeth y Parchedig Thomas
Charles ... a Mrs. Sarah Charles* (Bala, 1815), t.5.

[38] *Galarus Fyfyrdod ar Farwolaeth y Parch. Thomas Charles, A.B. ...*
(Bala, 1815).

[39] *Trysorfa*, Llyfr III, Ionawr 1819, t. 5.

3. Oes y Diwygiadau

Yn gefndir i holl lafur Thomas Charles yr oedd bywiogrwydd crefyddol anghyffredin yng Nghymru sydd yn gwbl ddieithr i'n cenhedlaeth ni. Mae Dr Tudur Jones yn egluro fod 'diwygiad crefyddol'

> i'w ddeall fel gweithgarwch neilltuol yr Ysbryd Glân yn dyfnhau'r diddordeb cyhoeddus ym mherthynas dyn â'i Dduw ac yn dwysáu pryder pobl am eu tynged dragwyddol. Lluosogir tröedigaethau ymhlith unigolion, bywioceir yr eglwysi a chyffroir yr ardal o gwmpas. O ganlyniad ceir cynnydd yn rhifedi Cristionogion, enynnir ynddynt ysbryd cenhadol ac ymroddant i sancteiddrwydd buchedd ac i wasanaeth diwylliannol a chymdeithasol.[1]

Cytuna'r diweddar Barchedig Emyr Roberts, y Rhyl, â'r dadansoddiad hwn pan fynega fod gan bawb sydd wedi'i ddeffro'n ysbrydol ac sy'n ymwybodol o realiti Duw a llygredd ei galon ei hun, wedi blasu maddeuant pechodau a gwyrth yr enedigaeth newydd, yr allwedd i ddeall beth sy'n digwydd mewn diwygiad. Yr hyn yw diwygiad yn yr eglwys, meddai, yw lliaws enfawr o bobl yn cael eu hargyhoeddi a'u hachub ar yr un adeg, yn gwbl gyhoeddus, ac yn aml mewn ffordd ddramatig, a bod hynny'n arwain at luosogi'n ddirfawr aelodaeth yr eglwysi. Gweithgarwch yr Ysbryd Glân yw hyn, boed mewn unigolyn ynteu mewn llaweroedd ar unwaith.[2]

Dechreuad Methodistiaeth Penllyn

Yr oedd pobl a daear Penllyn wedi hen brofi'r pwerau hyn genhedlaeth a mwy cyn dyfod Thomas Charles i'r ardal,

---

[1] *Ffydd ac Argyfwng Cenedl*, Cyfrol II (Abertawe, 1982), t. 122

[2] John Aaron a John Emyr (goln), *Revival in Wales: Addresses to the Bala Ministers' Conference* (Pen-y-bont ar Ogwr, 2014), t. 20.

ond ef a gadwodd y cof amdanynt yn fyw drwy gyhoeddi ei 'Ymddiddanion' â'i hen gyfaill, John Evans Y Bala.[3] Dichon mai un o'r cyffroadau diwygiadol cynharaf oedd hwnnw a brofwyd yng Nghwm Cynllwyd pan ymwelodd y Parchedig Lewis Rees, Llanbryn-mair, â'r Weirglodd Gilfach tua'r flwyddyn 1738, a chynnal oedfa yno. Y tŷ hwn oedd cartref Meurig Dafydd, ac, yn ôl arfer y gymdogaeth, estynasai wahoddiad i nifer o'i gymdogion i ddod i'w gartref y noson honno dan weu hosanau. Mae John Evans yn disgrifio'r amgylchiad:

Mr IOHN EVANS
O'R BALA

> Daeth amryw o bobl y gymdogaeth i'r oedfa, ond i gyd gyda'u hosanau yn eu dwylo ... eisteddasant o amgylch llawr y tŷ, pawb â'u bysedd yn gyflym ar eu gorchwyl. Yn y cyfamser yr oedd Mr Rees yn eistedd wrth y tân, ac ond odid yr oedd yn bwrw cil ei lygaid ar ei ddarpar-wrandawyr. Pan welodd ei amser, cododd oddi wrth y tân at y bwrdd yn ochr y llawr, a chymerodd y Beibl i ddarllen pennod, gan ddisgwyl yn ddiamau iddynt roddi'r hosanau heibio i wrando gair Duw. Ond glynu wrth eu gorchwyl yr oeddynt hwy oll yn ddyfal. Fe gymerodd yr achlysur i sylwi ar ryw faterion yn y bennod, eto nid oedd dim yn tycio i gael gan eu bysedd, mwy na'u meddyliau, ymlonyddu. Wedi hyn meddyliodd am geisio mynd i weddi, er nad oedd argoel yn y byd y câi

---

[3] Gweler *AJE*.

efe yno fawr o gyd-weddïwyr. Mynd i weddi a wnaeth, ac wrth fynd ar ei liniau, yr olwg ddiweddaf a gafodd arnynt oedd mewn prysur driniad ar eu gwëyll.

Chwi ellwch feddwl na chafodd efe mo'r llawer o galondid oddi wrth ei wrandawyr i ddechrau'i ymbiliad: ond ni adawodd yr Arglwydd mohono'n ddigymorth na'i weddi chwaith yn ddieffaith. Cyn ei diwedd fe a glywai ocheneidiau dwysion distaw yn eu plith, ac erbyn codi oddi ar ei liniau, fe welai bob hosan wedi cwympo i'r llawr.[4]

Oedfa Tŷ-nant

Ymhen dwy neu dair blynedd wedyn, yn ystod haf 1741, bu cyfarfod rhyfeddol yn Nhŷ-nant, Tref Benmaen, (yr ardal a adwaenir bellach fel Pant-glas). Yr oedd ieuenctid yr ardal wedi ymgynnull yno ar nos Sadwrn i ganu a dawnsio yn yr ysgubor, ond daeth Siencyn Morgan (bu farw yn 1762), un o ysgolfeistri Ysgolion Cylchynol Griffith Jones, yno, gydag Edward William ab Edward, un o Ymneilltuwyr cynnar Y Bala, yn gwmni iddo. Dechreuodd Siencyn bregethu, a dechreuodd ambell un o'r ieuenctid glustfeinio.

Ac wedi felly fyned ymlaen a gwrando enillodd y Gair y dydd a daliwyd hwy ganddo i wrando'n astud. ... A'r rhai a arhosai yn yr ysgubor nid oeddynt yn cael iawn hwyl ar eu dawns. ... Felly hwy o un i un a aethant bawb i'r tŷ i wrando. ... A phan ddaethant rhoddes Duw y fath allu i lefaru, a'r fath effaith argyhoeddiadol gyda'r hyn a leferid, fel ag y dwysbigwyd ymron bawb a oedd yn y tŷ. Yr oedd llefain mawr trwy'r holl dŷ (yn enwedig gan yr ieuenctid) megis llefain ceidwad y carchar yn Philipi.

---

[4] *AJE*, tt. 97-98.

Dychryn trwm a ddaliodd bawb ohonynt am gyflwr eu henaid.[5]

Adwaenai John Evans o leiaf bump o bobl yr effeithiwyd arnynt gan yr oedfa ryfeddol hon, ac yn eu tro buont yn gyfryngau i gludo'r argyhoeddiadau i rannau eraill o Benllyn.

Diwygiad 1791

Mae Syr John Rhys yn cydnabod fod yr hinsawdd ysbrydol gynnes hon yn ffactor o bwys yn llwyddiant ymdrechion Thomas Charles, ac mae'n olrhain ei darddiad:

> It was a time of religious revival in Wales, and the ground was prepared for Charles's labours by the earnestness and eloquence of the Rev. Daniel Rowlands, of Llangeitho, and the genius of the Rev. William Williams, of Pant y Celyn, the chief of Welsh hymnologists; not to mention other men of lesser fame, but hardly less influence over their countrymen in a generation which was passing away as Charles was attaining to the full enjoyment of his powers.[6]

Yn ôl Charles, gwelodd Y Bala bump neu chwech o ddiwygiadau grymus yn ystod ail hanner y ddeunawfed ganrif, ond prin fod yr un ohonynt yn debyg i'r un a brofwyd yn Hydref 1791, ac yr oedd ef ei hun yng nghanol y berw hwnnw. Mewn llythyr a ysgrifennodd at y Parchedig Thomas Jones (1752-1845), Creaton, mae Charles yn disgrifio'r modd y syrthiodd Ysbryd Duw ar y gynulleidfa, ac ar y bobl ieuainc yn arbennig.[7] Daeth cyflwr enaid yn brif bwnc trafod yr ardal, ac

---

[5] ibid., t. 88.

[6] Rhys and Brynmor-Jones, *The Welsh People* ... (Chweched argraffiad, Llundain, 1913), tt. 506-07.

[7] Copïwyd y llythyr hwn o *Christian Magazine*, 1792, tt. 5-8, i *LTC*, II,

argyhoeddwyd y rhai mwyaf anystyriol. Pregethodd Charles yn y capel y prynhawn Sul hwnnw yn nechrau Hydref, ond nid oedd yn ymwybodol o unrhyw rymusterau anghyffredin. Ond tua diwedd oedfa'r hwyr synhwyrai fod Ysbryd Duw yn gweithio'n rymus ar nifer helaeth o'r gynulleidfa, pobl na welwyd mohonynt yn ceisio Duw gyda'r un angerdd o'r blaen. Yn sydyn dechreuasant weiddi am drugaredd, 'Beth a wnaf i fod yn gadwedig?' a 'Duw, bydd drugarog wrthyf fi, bechadur!' Erbyn naw o'r gloch nid oedd dim i'w glywed o un pen o'r dref i'r llall ond griddfannau pobl mewn cyfyngder enaid.

Mewn llythyr at John Campbell, masnachwr, ac un o'i gyfeillion yng Nghaeredin, adroddodd Charles ei farn am y diwygiad a phwy a fanteisiodd oddi wrtho:

> That it is a work of God I am not left to doubt in the least degree: it carries along with it every scriptural satisfactory evidence that we can possibly desire; such as deep conviction of sin, of rightousness, and of judgment; great reformation of manners; great love for, and delight in, the word of God, in prayer, in spiritual conversation, and Divine ordinances. These, *in particular*, among *young* people, occupy the place and employ the time that was spent in vain diversions and amusements.[8]

Effeithiau Diwygiad 1791

Yn ei lythyr at y Parchedig Thomas Jones, Creaton, y cyfeiriwyd ato ar dudalen 38, mae Charles yn nodi rhai o effeithiau cymdeithasol y diwygiad hwn,

---

tt. 88-91. Gweler cyfieithiad Cymraeg o'r llythyr hwn gan Hywel Meredydd yn *Y Cylchgrawn Efengylaidd*, Gwanwyn 2015, tt. 24-25.

[8] *LTC*, II, t. 97. Ysgrifennwyd o'r Bala, 2 Mai 1792.

Mae'r diwygiad hwn ar grefydd wedi rhoi terfyn ar yr holl gyfarfodydd llawen parthed dawnsio, canu gyda'r delyn, a phob math o chwerthin pechadurus a oedd yn arfer bod mor amlwg ymhlith pobl ifainc yma. Ac mewn ffair fawr a gynhaliwyd yma rai dyddiau yn ôl, nid oedd y miri arferol, sŵn cerddoriaeth, a chanu ofer i'w clywed yn unrhyw ran o'r dref.

Mae'r dyfyniad hwn yn bwysig am ei fod yn gymorth inni ddeall beth a ddigwyddodd yma yn Y Bala ryw ddeng mlynedd yn ôl pan sonnid llawer am Ddiwygiad 1904-05. Pentyrrodd un wraig bob anfri ar Evan Roberts (1878-1951) y Diwygiwr a'i gondemnio am ei gamwedd dwys, yn ei golwg hi, yn ystod ei ymweliad â'r Bala yn dileu nosweithiau llawen, canu penillion a dawnsio gwerin. Mae'n hawdd gweld fod yna gymysgu alaethus yma: priodoli i gyfnod Evan Roberts yr hyn a ddigwyddodd yn nyddiau Thomas Charles. Ond o leiaf mae'n dangos un peth, fod y cof am rai o sgîl-effeithiau Diwygiad 1791 wedi aros yng nghof ac ymwybyddiaeth gwerin Penllyn am dros ddau gan mlynedd.

Ym Mawrth 1809, mae Charles yn manylu ar y bendithion a ddaeth i fywydau deiliaid yr Ysgolion Sul trwy'r diwygiadau:

Mae arwyddion amlwg fod Ysbryd yr Arglwydd yn rhoddi ei gynhorthwy iddynt, o ran grym eu cof i ddal, cyflymdra eu deall i amgyffred pethau dwyfol, a'u diwydrwydd di-ball yn llafurio yn yr Ysgrythurau: ac er mawr lawenydd i'r rhai sydd yn eu haddysgu, y mae nid yn unig arwyddion amlwg o ddiwygiad ym moesau a gweddeidd-dra ymddygiad ieuenctid ardaloedd meithion, ond mae argyhoeddiadau bywiog ar feddyliau llawer ohonynt am eu cyflyrau fel pechaduriaid colledig,

a'r angen sydd arnynt am eu cyfiawnhau a'u sancteiddio
yn enw'r Arglwydd Iesu a thrwy Ysbryd ein Duw ni.[9]

Diwygiad: ffenomen ynteu'r norm?

Rhag bod neb yn tybio mai ffenomen ymhlith y Methodistiaid
gwylltion oedd diwygiadau'r ddeunawfed a'r bedwaredd
ganrif ar bymtheg, mae'n dda cofio, fel y dangosodd Dr Tudur
Jones, eu bod yn rhan normal o fywyd crefyddol Cymru
am ganrifoedd, ac yn effeithio ar fwy nag un enwad. Un o
weinidogion amlycaf y Bedyddwyr oedd Christmas Evans,
ac, yn ôl y Parchedig Henry Hughes, Bryncir, daeth dan
ddylanwad Robert Roberts, Clynnog, pan oedd ar ei ffordd i
Lŷn, a phrofi'n helaeth o egni ysbrydol y cawr hwnnw. Wrth
iddo grwydro yn ôl a blaen rhwng Llŷn, Môn, a'r Deheudir,
lledaenai'r gorfoledd ble bynnag y cerddai.[10]

Mae'r un hanesydd yn cyfeirio at ddiwygiad grymus a
fu yn Llanuwchllyn dan weinidogaeth Dr George Lewis.
Nid ystyrid George Lewis yn bregethwr poblogaidd: yn
wir, pregethwr trwm a braidd yn sych ydoedd, ond tua'r
flwyddyn 1807, gwresogodd ei ysbryd a bu effeithiau grymus
yn dilyn ei weinidogaeth. Adroddir am wraig a oedd yn
amlwg dan argyhoeddiad dwys, yn gweiddi dros y capel
yn ei chyfyngder, 'yr enaid a becho, hwnnw a fydd marw,'
ac ni fynnai ei chysuro. Cododd George Lewis a chyfarch y
gynulleidfa, 'Dyweded rhywun wrth y wraig yna, "yr enaid
a gredo, hwnnw a fydd byw."' Lliniarodd hynny arswyd y
wraig, a bu tawelwch mawr.[11]

Un o ddoniau mawr Charles oedd y gallu i drefnu, a

---

[9] *Trysorfa*, Llyfr II (1809), t. 38.

[10] *Hanes Diwygiadau Crefydd Cymru* (Caernarfon, d.d. [tua 1906]), t. 239.

[11] ibid., tt. 227-28.

defnyddiodd ei dalent i'r eithaf er mwyn darparu ymgeledd ysbrydol ac adeiladaeth Ysgrythurol i ddychweledigion y diwygiadau drwy fudiad yr Ysgol Sul yn benodol. Ffrwyth amlwg arall o'r diwigiadau hyn oedd plannu achosion newydd ymhlith y Methodistiaid ym Mhenllyn.

4. Seiadau Penllyn, 1795

Trafodwyd yn barod y gyfundrefn o Ysgolion Cylchynol a sefydlodd Thomas Charles a'i fawr ofal dros ansawdd a chymeriad yr athrawon. Ar y dechrau deuai cydnabyddiaeth yr ysgolfeistri hyn o boced Charles ei hun (neu'n hytrach, o bwrs ei wraig), ond buan y gwelwyd y byddai'n rhaid wrth gymorth ariannol ychwanegol. Deuai cyfraniadau hael oddi wrth gyfoethogion a adwaenai Charles yn Lloegr, ond yr ateb ar gyfer yr hir dymor oedd codi arian yn lleol. Gan hynny, trefnwyd casgliadau yn seiadau'r Methodistiaid yn yr ardaloedd a elwai o'r ysgolion, ac yn sgîl hynny, gwnaed cymwynas fawr â chenedlaethau'r dyfodol drwy ddiogelu, tua'r flwyddyn 1795, restrau o'r cefnogwyr ariannol hyn. Cyhoeddodd Dr D. E. Jenkins y rhestrau ymhlith yr atodiadau ar ddiwedd ei orchestwaith.[1]

Enwa Charles y seiadau yn y drefn a welir yn y tabl isod. Ynddynt mae'n rhestru enw'r cyfrannwr, disgrifiad byr ohono neu ohoni (hynny yw, enw'r cartref neu'r berthynas deuluol), cyn nodi'r swm a dalwyd. Ac eithrio'r cyfraniadau ariannol, dadansoddwyd y wybodaeth a groniclir yn y rhestrau hyn gyda chymorth cronfa ddata. Ar gyfer yr astudiaeth hon, darparwyd dau allbrint yn nhrefn y wyddor, y naill (Atodiad 1) yn rhestr o'r holl gyfranwyr ynghyd â'r disgrifiad ohonynt, a'r llall (Atodiad 2) yn rhestr o'r cartrefi a'u preswylwyr. Tybiwyd y byddai'r wybodaeth hon o fudd i'r sawl sy'n ymddiddori yn aelodau seiadau'r cyfnod, yn ogystal ag i'r fintai gynyddol sy'n chwilio am achau eu teuluoedd, gan fod y rhestrau hyn tua dwy genhedlaeth yn gynharach na Chyfrifiad 1841. O osod yr enwau oll yn nhrefn y wyddor, dylid canfod enw neu gartref yn weddol ddidrafferth.

---

[1] *LTC*, III, tt. 626-32.

Seiadau 1795: Lleoliadau

Un ffordd i sylweddoli cymaint yr oedd y seiadau hyn wedi lledaenu ar draws Penllyn yw creu map sy'n dangos yn fras eu lleoliadau, pa gapeli a ddeilliodd ohonynt, a pha bryd, yn fras, yr adeiladwyd hwy.[2]

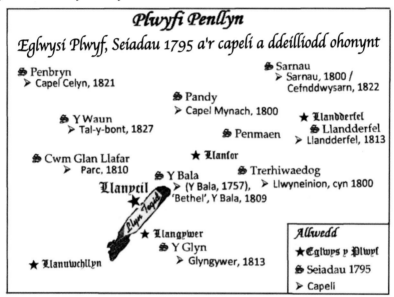

Plwyfi Penllyn

Eglwysi Plwyf, Seiadau 1795 a'r capeli a ddeilliodd ohonynt

🏛 Penbryn
➤ Capel Celyn, 1821

🏛 Sarnau
➤ Sarnau, 1800 / Cefnddwysarn, 1822

🏛 Pandy
➤ Capel Mynach, 1800

🏛 Y Waun
➤ Tal-y-bont, 1827

★ Llanddderfel
🏛 Llandderfel
➤ Llandderfel, 1813

🏛 Penmaen

🏛 Cwm Glan Llafar
➤ Parc, 1810

★ Llanfor

🏛 Y Bala
➤ (Y Bala, 1757),
'Bethel', Y Bala, 1809

🏛 Trerhiwaedog
➤ Llwyneinion, cyn 1800

Llanycil

★ Llanuwchllyn

★ Llangpwer
🏛 Y Glyn
➤ Glyngywer, 1813

Allwedd
★ Eglwys y Plwyf
🏛 Seiadau 1795
➤ Capeli

Seiadau 1795: Aelodaeth

Er mwyn cael syniad o niferoedd yr aelodau yn y seiadau hyn cyfrifwyd yr enwau sydd yn y rhestrau a'u gosod yn y tabl isod. Y mae gofyn gofal mawr wrth eu defnyddio: nid bwriad y genhedlaeth honno oedd casglu ystadegau manwl, ond dangosant yn fras pa nifer o'r aelodau oedd yn barod i ysgwyddo peth o'r draul o gynnal yr Ysgolion Cylchynol.

---

[2] Defnyddiwyd dyddiadau ac enwau capeli a welir yn *The Religious Census of 1851: A Calendar of the Returns Relating to Wales*, Cyfrol II, gol. Ieuan Gwynedd Jones (Caerdydd, 1981), tt. 249-54, yn hytrach na *MDM*.

Yn y golofn gyntaf gwelir enw'r seiat, a chanfyddir fod deg ohonynt. Yn yr ail golofn, 'Rhestr TC', y mae nifer y cyfranwyr a gofnodwyd yn llaw Thomas Charles. Yna daw 'Rhestr TRC', sef enwau rhagor o gyfranwyr, ond y tro hwn yn llawysgrifen ei fab, Thomas Rice Charles, ond ni nodir y dyddiad. Bedyddiwyd Thomas Rice yn eglwys Llanycil ym Mehefin 1785, ac felly nid oedd ond bachgen dengmlwydd pan gasglodd ei dad y rhestrau gwreiddiol. Mae'n ymddangos, felly, mai ychwanegiadau tipyn diweddarach ydynt. Er bod y bedwaredd golofn yn cynnwys cyfanswm y ddwy golofn, yr ail golofn, sef rhestr Thomas Charles, sy'n rhoi'r syniad cywiraf am nifer aelodau Seiadau Penllyn tua chanol nawdegau'r ddeunawfed ganrif. Ond mae'n sicr fod y 'Cyfanswm' yn adlewyrchu'r aelodaeth yn negawd gyntaf y ganrif newydd.

Seiat	Rhestr TC	Rhestr TRC	Cyfanswm
Y Bala	181	17	198
Trerhiwaedog	44	9	53
Penbryn	28		28
Glyn	31	3	34
Cwm Glan Llafar	35	2	37
Pandy	22	4	26
Llandderfel	21	1	22
Sarnau	24	4	28
Waun	31		31
Penmaen		18	18
Cyfanswm	**417**	**58**	**475**

Aelodaeth Seiat Y Bala

Y gyntaf o'r rhestrau a argraffodd Jenkins yw '*The Names of those who live in ye Town of Bala and are Members of the Methodist's Society in ye Old Chapel*,' ac, yn ôl Rhiannon Francis Roberts, mae'n 'haeddu astudiaeth fanwl oherwydd rhydd inni syniad clir am nifer yr aelodau yn Y Bala yng nghyfnod

Thomas Charles, natur eu galwedigaethau, a'u gallu i gyfrannu.'[3] Ymddengys mai hon yw'r rhestr gyntaf o aelodau seiat Y Bala a ddiogelwyd er pan enwodd John Evans yr wyth a ddechreuodd ymgynnull yn 1741 ar ôl yr erlid mawr a fu ar Howel Harris a Siencyn Morgan.[4]

Ni fanylir yma ar enwau'r aelodau na'u cartrefi gan eu bod i'w gweld yn Atodiadau 1 a 2, namyn sylwi ar gyflawnder ac amrywiaeth eu galwedigaethau. Mewn cylch amaethyddol gellir cymryd yn ganiataol mai ffermwyr yw'r mwyafrif na nodir galwedigaeth ar eu cyfer. Disgrifir un ar bymtheg o'r aelodau fel morwynion a naw fel gweision, yr oedd yno bum teiliwr, pedwar crydd, pedwar siopwr a phedwar gwehydd. Ymhlith y galwedigaethau prinnach y mae Robert Jones, *'dealer in old clothes'*; Evan Owen, *'Currier'*; Hugh Jones, *'Post'*; Mr Griffiths, *'Exciseman'*; Hugh Davies, *'Doctor'*; Grace Jones, *'Seamster'*; Betty Rowland, *'Glover'*; a Thomas Owen, *'Cooper'*.

Seiadau'r wlad

Mae gweddill y seiadau yn haeddu'r un sylw â seiat Y Bala er nad yw enwau wyth ohonynt wedi parhau'n enwau 'Cyfundebol'. O edrych ar enwau cartrefi'r aelodau gellir dyfalu eu lleoliad a pha gapeli a ddeilliodd ohonynt.

Trerhiwaedog

Ar ôl seiat Y Bala yn rhestrau Charles daw'r 'Trerhiwaedog Society'. Trigai'r aelodau yn Nhŷ-tan-y-graig, Alltrugog, Rhiwaedog, Pandy Isaf, Berthlafar, Tŷ-tan-dderwen a Than-y-garth. Dyma ddigon o dystiolaeth i gredu mai capel Llwyneinion a godwyd gan y seiat hon.

---

[3] D. Francis Roberts a Rhiannon Francis Roberts, *Capel Tegid, Y Bala* (Bala, 1957), t. 24.

[4] *AJE*, t. 89.

Penbryn

Yna enwir 'Society Penbryn'. Awgrymwn fod y seiat hon wedi esgor ar yr achos yng Nghapel Celyn, gan mai ym Mhenbryn Mawr yn bennaf y cynullai'r seiat,[5] ac ymhlith y cartrefi eraill enwir Dôl-fawr, Bodwen (a allasai fod yn ffurf lafar ar 'Hafodwen'), Tŷ Cerrig a Glanyrafon.[6] Mae'r wybodaeth a ddaw o'r ffynhonnell hon yn ychwanegiad o bwys at yr hyn a gafwyd gan Dafydd Roberts, Cae Fadog, yn ei ysgrif 'Crynodeb o hanes yr eglwys' yn rhaglen Gwasanaeth Datgorffori Eglwys Celyn, Medi 28 1963.

Y Glyn

Y bedwaredd yw 'Society Glyn', a thrigai rhai o'i haelodau hi yn Brynhynod, Llechwedd-ddu, Brynbedwog, Tyn-coed, a'r Glyn. Mae'n wir fod rhai o'r aelodau'n byw yn Llechwedd Ystrad, Pantyceubren, Pant-saer yng nghyffiniau Llanuwchllyn, ond nid oedd seiat gan y Methodistiaid yn Llanuwchllyn yn y cyfnod hwn, ac felly mae'n gwbl briodol i gredu mai capel Glyngywer a darddodd o'r seiat hon.[7]

Cwm Glan Llafar

Yna daw 'Society Cwm Glan Llafar' gydag enwau ffermydd adnabyddus o ardal y Parc, megis Plas Madog, Cwmtylo, Gwernbusaig, Cystyllen, Rhydyrefail a Thynddôl, heb sôn am Dŷ Cerrig, Tŷ-du, Maes Mathew a Rafel.

---

[5] *MDM*, t. 188.

[6] Enwir dau gartref arall ymhlith seiadwyr Penbryn, sef Tyn-pant a Thŷ Cerrig. Preswylydd Tyn-pant oedd Hugh Roberts, ac felly cesglir mai Tyn-pant, Llidiardau, ydyw, sy'n gorwedd heb fod ymhell dros gefnen Mynydd Nodol.

[7] Mae hyn yn bwrw amheuaeth am gywirdeb *MDM*, t. 109, a ddywed fod 'agosrwydd yr ardal i'r Bala ar un llaw, ac i Lanuwchllyn ar y llaw arall, yn peri nad oedd raid i drigolion y cwm hwn fod yn amddifad o foddion tra yr oedd rhai i'w cael yn y manau hyny.' [*sic*]

Pandy

Y seiat y mae ei henw braidd yn amddifad o gymorth i'w lleoli yw 'Society Pandy', hyd oni ddarllenwn fod yr aelodau yn byw yn y Pentre, Cwmhesgin, Tai'r Felin a Nantycyrtiau. Dyma, wrth gwrs, ardal Cwmtirmynach, a chadarnheir hyn gyda'r wybodaeth mai am y 'Pandy gerllaw Tai'r Felin' y sonnir.[8]

Llandderfel a Sarnau

Nid oes petruster gyda 'Society Llandderfel' na 'Society Sarne'. Trigai un o seiadwyr Llandderfel yn Nantyreithin, un arall yn Nhyddyn Barwn, a dau yn Nhyn-bryn, a chartrefai rhai o aelodau seiat y Sarnau yng Nghrynierth, Pentre, Tomenycastell a Thŷ-nant. Ond o sôn am seiat Sarnau, rhaid cofio mai ym mhentref y Sarnau y codwyd y capel cyntaf, cyn symud yn ddiweddarach i Gefnddwysarn.

Y Waun

Mae cartrefi aelodau 'Society Waun' yn cynnwys Tyn-bryn, Tal-y-bont, Ceunant, yn ogystal â 'Waunwrgi'. Mae'n anodd credu nad llithriad (neu gam-ddarlleniad) yw'r enw hwn am 'Gwerndyfrgi'. Os felly, dyma bedwar lle o fewn cyrraedd hwylus i'r llecyn yr adeiladwyd capel Tal-y-bont ym mhentref Rhyduchaf arno. Adnabu'r hynafgwr John Evans o leiaf bump a argyhoeddwyd yn oedfa hynod Tŷ-nant,[9] a'r traddodiad yn yr ardal yw bod dwy ohonynt, Elinor Lloyd, Tal-y-bont, a Catherine Richards, Ceunant Isaf, wedi dechrau cyfarfod yn nhai ei gilydd, a thrwy hynny, sefydlu Methodistiaeth ar y Waun. Ymddengys mai yn y Ceunant Isaf y bu'r seiadu am beth amser cyn symud i nifer o dai ac ymsefydlu yn hen ffermdy Tal-y-bont. Ac ar dir y fferm honno yr adeiladwyd

---

[8] *MDM*, t. 196.
[9] *AJE*, tt. 88-89 a 99-101.

capel maes o law.[10]

Penmaen: Seiat ychwanegol?

Y mae un dirgelwch ar ôl. Y seiat olaf a enwir yn y rhestrau o gyfranwyr at yr Ysgolion Cylchynol yw 'Society Penmaen', ond cyn ystyried y dystiolaeth am y seiat hon, rhaid sylweddoli nad llawysgrifen Thomas Charles sydd yma. Cynhwysodd Dr D. E. Jenkins nodyn sy'n dangos mai Thomas Rice Charles yw'r cofnodydd, ac fel y nodwyd uchod, ni wyddys y dyddiad.

Annelwig yw hanesion *MDM* am Bant-glas a Llanfor, er pwysleisio arfer trigolion mannau anghysbell y fro i deithio i'r moddion yng nghapel Y Bala.[11] Mae'n wir y crybwyllir oedfa hynod Siencyn Morgan yn 1741, ond yna mae'n fud tan tua 1827 pan sonnir am 'gapel to brwyn' yn ardal Pant-glas. Dyfelir fod Ysgol Sul Llanfor wedi ei sefydlu oddeutu 1820, gan fynd o dŷ i dŷ, ond nad adeiladwyd y capel tan tua 1860. Ail hanner y bedwaredd ganrif at bymtheg oedd prif ddiddordeb Williams, nid nawdegau'r ddeunawfed ganrif. Nid yw'n crybwyll hyd yn oed yr enw 'Society Penmaen', eithr y mae enwau cartrefi'r cyfranwyr yn y rhestrau yn cyfeirio'n bendant at yr ardal o gwmpas godre Moel Emoel: Llwyn-ci, Tai-draw, Maesfedw, Penmaen, Penrhydgaled a Thwll-y-mwg.[12] Dyma agor cil y drws ar bosibilrwydd parhad un o seiadau cynharaf y fro.

Cyfarwyddodd y Sasiwn tua dechrau 1749 y cynghorwr Methodistaidd, William Richard, Abercarfan (bu farw yn 1770) i ymweld â Gogledd Cymru ac anfon adroddiad i Sasiwn Llanfair ym Muallt erbyn mis Chwefror. Yn yr adroddiad

---

[10] *MDM*, t. 165.

[11] *MDM*, tt. 202-06 a 223-27.

[12] Cafwyd tystiolaeth ar lafar gan Dorothy Vaughan Pritchard, Llanfor, ar sail sgwrs â Dilwyn Jones, Y Bala (a fagwyd yn yr ardal) mai ar waelod Moel Dryll, o'r tu ôl i Benucha'r-llan, oedd lleoliad 'Twll-y-mwg'.

hwnnw dywedir nad oedd fawr o weithgarwch yn Sir Feirionnydd ar wahân i'r tair seiat ym Mhenllyn. Yr oedd un ohonynt yn cyfarfod yn nhref Y Bala, yr ail yng nghymdogaeth Penmaen, rhwng y dref a Sir Ddinbych, a'r drydedd *'at Glyn on the other side of the town.'* Eu harfer, meddai, oedd cyfarfod yn wythnosol, eithr cydgyfarfyddent yn Y Bala bob pythefnos.[13]

Mae'n anodd gwybod bellach am ba nifer o flynyddoedd y parhaodd y trefniant, ond mae bodolaeth y rhestr, er ei bod yn llawysgrifen Thomas Rice Charles dan y pennawd 'Society Penmaen', ac yn ailadrodd nifer o'r enwau a welir yn rhestr 'Society Y Bala', yn awgrymu'r posibilrwydd fod y seiat y soniai William Richard amdani wedi goroesi mewn rhyw ffurf neu'i gilydd am yn agos i hanner can mlynedd. Mae'n rhaid aros am rai blynyddoedd cyn cael tystiolaeth am fodolaeth capeli yn yr ardal: adeiladwyd capel Pant-glas yn 1836, a Gwige, Llanfor, yn 1843.[14] Eithr er adeiladu'r capeli hyn parhaodd cysylltiad agos rhwng Methodistiaid Tre Benmaen a chapel Y Bala ar ddiwedd y bedwaredd ganrif ar bymtheg, a phan ddaeth einioes y ddau gapel bach i ben yn ail hanner yr ugeinfed ganrif, ymgartrefodd yr aelodau yng Nghapel Tegid.

Gwelir fod rhestrau Thomas Charles o gefnogwyr yr Ysgolion Cylchynol yn goleuo llawer ar hanes a thwf deg o Seiadau Penllyn ar ddiwedd y ddeunawfed ganrif, heb sôn am ddiogelu enwau'r aelodau a'u cartrefi. Yn arbennig dadlennant y cynnydd a fu yn aelodaeth Seiat Y Bala er pan enwodd John Evans wyth o unigolion a ddechreuodd 'ymgynnull yn nhŷ Edward William ab Edward' yn y flwyddyn 1741.[15]

---

[13] AMC, Llythyr Trefeca, rhif 1838. Cyhoeddwyd yn *CH*, XLI, t. 40.

[14] Ieuan Gwynedd Jones (Gol.), *The Religious Census of 1851: A Calendar of the Returns Relating to Wales*, Cyfrol II (Caerdydd, 1981), t. 251: nid oedd y dystiolaeth hon wedi'i chyhoeddi adeg ysgrifennu *MDM*.

[15] *AJE*, t. 89.

5. Cyfraniad llenyddol

O'i lafur addysgol y tarddodd cynnyrch llenyddol Charles, ac fe gyflawnodd ei lafur enfawr yn ei lyfrgell gyfoethog a oedd yn rhan o'i gartref yn Y Bala. Gan ei bod yn anodd gorbwysleisio ei gyfraniad, rhestrir dros ddeg ar hugain o'r prif eitemau a ddaeth o'i law dros gyfnod o chwarter canrif yn Atodiad 3.[1] Priodol hefyd yw sylwi fod dros ugain neu ragor ohonynt, gan gynnwys ei weithiau mwyaf swmpus, wedi eu hargraffu yn Y Bala.

CRYNODEB

o

EGWYDDORION CREFYDD

NEU

GATECISM BYRR

i

BLANT, ac ERAILL,

i'w DDYSGU.

Gan y Parchedig T. CHARLES. A.B.

Y Pethau hyn dysg. 1 Tim. vi. 2. *A'r Arglwydd a roddo i ti ddyall da yn mhob peth.* 2 Tim. ii. 7.

TREFECCA:
ARGRAPHWYD YN Y FLWYDDYN
M,DCC,LXXXIX.

---

[1] Am drafodaeth ddiweddar o lyfrau pwysicaf Charles, gweler pennod D. Densil Morgan, 'Credo ac Athrawiaeth' yn *HMGC3*, tt. 112-125, a sylwadau Huw John Hughes yn *Coleg y Werin*, tt. 91-108.

Llyfryn cyntaf Charles oedd *Crynodeb o Egwyddorion Crefydd* a gyhoeddwyd yn 1789, wedi ei argraffu yn Nhrefeca. Mae iddo 96 tudalen ac yn mesur 15 cm wrth 8.5 cm. Mae'n cynnwys un bennod ar ddeg, gan ymdrin yn drefnus â'r gwirioneddau am Dduw, ac am gwymp dyn, cyn symud ymlaen at y Cyfamod Gras, a lle'r Arglwydd Iesu yn y cyfamod hwnnw, gan roi lle arbennig i'w waith ym mhrynedigaeth dyn. Yna trafodir yr Ysbryd Glân, gan fanylu ar dair agwedd o'i weithgarwch, sef argyhoeddi'r enaid, amlygu Crist i'r enaid, a sicrhau bod nerth a grym gan y credadun ar gyfer ei dystiolaeth yn y byd. Y mae yma bennod gyfoethog ar y Sacramentau, cyn trafod y modd y mae Duw yn llywodraethu'r byd. Mae'n diweddu, fel y gellid disgwyl, drwy drafod Dydd y Farn. Ar ddiwedd pob pennod gosodir emyn neu bennill i grynhoi'r sylwedd. Mae rhai o'r penillion yn adnabyddus, ond eraill yn dra dieithr i'n cenhedlaeth ni. Yn atodiad i'r *Crynodeb* ymddengys Catecism byrrach, syniad a gafodd Charles, o bosib, oddi wrth Gatecism Byrraf Cymanfa Diwinyddion Westminster. Diwedda'r llyfryn gyda dyfyniadau o rai o Erthyglau Cred Eglwys Loegr gyda sylwadau arnynt.

Yr anhawster mwyaf a deimlai Thomas Charles o ddefnyddio Gwasg Trefeca oedd pellter y ffordd o'r Bala. Yr oedd hyn yn ychwanegu at y gost a'r anhwylustod o anfon a dychwelyd proflenni, ac ar ben hynny, pan fyddai'r gwaith yn barod, yr oedd ei gyrchu i'r Bala a'i ddosbarthu ymhlith deiliaid yr Ysgolion Cylchynol a'r Ysgolion Sabothol ym Mhenllyn a gweddill gogledd Cymru, yn helbulus a chostus. Felly, yn 1798 dechreuodd Charles ddefnyddio gwasg W. C. Jones, Caer, ond yn fuan fe sylweddolodd fod anawsterau gyda'r wasg honno hefyd. Yn un peth, nid oedd yr un o gysodwyr y wasg yn gallu'r Gymraeg. Ar ben hynny, yr oedd prisiau'r wasg yn uchel, a'r perchennog yn mynnu taliad

afresymol o fuan am ei gynnyrch, er nad oedd prydlondeb yn
un o'i rinweddau.

Meithrinodd yr amgylchiadau hyn awydd ym meddwl
Charles i sefydlu gwasg yn Y Bala. Dechreuodd drafod y
syniad gyda'i gyfaill Thomas Jones, Dinbych, a'r canlyniad fu
i'r ddau ffurfio partneriaeth. Eithr ni chredai Charles y dylai
ymwneud yn gyhoeddus â masnachu, gan ei fod yn 'ŵr mewn
urddau', a dyna paham y ffurfiwyd cwmni dan yr enw 'Jones
& Jones', sef Thomas Jones a Sali Charles, hithau'n arddel ei
henw morwynol. Ymddeolodd Thomas Jones o'r busnes pan
symudodd i Ddinbych.

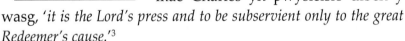

Robert Saunderson

Y cam nesaf oedd penodi gŵr ifanc
o'r enw Robert Saunderson (1780-
1863) yn rheolwr-oruchwyliwr ar y
wasg.[2] Ysgotyn oedd Saunderson a
fwriodd ei brentisiaeth yn Lerpwl cyn
symud i arfer ei grefft yng Nghaer
yn argraffdy W. C. Jones. Mewn
llythyr ato i'w groesawu i'w swydd,
mae Charles yn pwysleisio diben y
wasg, *'it is the Lord's press and to be subservient only to the great
Redeemer's cause.'*[3]

Bu gwasg Y Bala o wasanaeth mawr i achos y Methodistiaid,
a bu'n ffactor o bwys yn y symud a fu ar ganolbwynt y Corff
o'r De i'r Gogledd. Yn dilyn marwolaeth Howel Harris a
Daniel Rowland collodd Trefeca a Llangeitho i raddau helaeth
y pwysigrwydd oedd iddynt adeg dechreuad Methodistiaeth.
Ar ddechrau'r bedwaredd ganrif ar bymtheg ni ellir gwadu

---

[2] Disgrifir ef fel *'Compositor for Thomas Charles, 1803-14'*, a'r cyfeiriad a
roddir yw 11 Heol y Berwyn. Eiluned Rees, *Libri Walliae* (Aberystwyth,
1987), t. 871.

[3] *LTC*, II, t. 446.

nad Y Bala, a hynny'n deillio o bresenoldeb Thomas Charles, oedd canolbwynt y mudiad bellach. Bu hefyd yn hwb i economi'r cylch: nid oedd argraffu wedi digwydd yn Y Bala ers dyddiau John Rowland a ddaeth i'r dref o Fodedern tua 1761, a thybir iddo farw tua 1764.[4]

Bu'r wasg newydd yn gyfrwng i ddenu rhai gwŷr ieuainc i'r dref, a chyfoethogodd y rhain y dystiolaeth Gristnogol gartref a thramor. Yn Llanrwst y ganed Evan Evans yn 1792 a daeth i'r Bala i ddysgu'r gelfyddyd o argraffu. Daeth dan argyhoeddiadau crefyddol dwys, a benthyciai lyfrau gan Thomas Charles. Dechreuodd bregethu, ac fe'i hordeiniwyd yn 1816. Gwasanaethodd fel cenhadwr yn Ne Affrica hyd oni chollodd ei iechyd a dychwelodd i Lanidloes lle bu farw yn 1828.[5] Ganed Lewis Jones (1808-54) yn Llanfihangel y Pennant a daeth at Robert Saunderson i ddysgu rhwymo llyfrau. Dechreuodd yntau bregethu yn 1828, ac ordeiniwyd ef yn 1838. Bu'n awdur diwyd, a meddai ar dalent i ysgrifennu'n raenus. Ysgrifennodd gofiant i Richard Jones, Y Bala, ac fe'i cyhoeddwyd yn 1841. Ymddangosodd ysgrifau o'i eiddo yn *Y Traethodydd*. ac ef oedd yn bennaf gyfrifol am sefydlu'r cylchgronau *Y Geiniogwerth* ac *Y Methodist*.[6]

Thomas Charles: blynyddoedd ffrwythlon

---

[4] Eiluned Rees, *Libri Waliae* (Aberystwyth, 1987), t. 871.

[5] J. H. Hughes, *Hanes Cenhadaeth Dramor y Methodistiaid Calfinaidd Cymreig* (Caernarfon, 1907), t.428.

[6] *MDM*, t. 582, a *Y Bywgraffiadur Cymreig hyd 1940*.

Y syndod yw bod Charles wedi llwyddo i gyhoeddi cymaint yn ystod pymtheg mlynedd olaf ei fywyd, pan gofir mor agos y bu at golli'r dydd ar ôl ei brofiad erchyll ar y Migneint tua diwedd 1799. Dyma pryd yr helaethodd y *Crynodeb* a'i gyhoeddi dan enw newydd, *Hyfforddwr yn Egwyddorion y Grefydd Gristionogol*. Dyma hefyd y cyfnod a esgorodd ar y cylchgronau *Trysorfa Ysprydol* a *Trysorfa*, ac yn arbennig y *Geiriadur*.

Yr oedd y cyfuniad hwn o gylchgrawn a geiriadur yn ymgais arwrol i ymateb i'r gofyn am ddeunydd darllen i'r miloedd o ddarllenwyr newydd y Gymru Fethodistaidd ac Anghydffurfiol. Yn ychwanegol at hyn, ef oedd golygydd y Beiblau cyntaf a ymddangosodd dan enw Cymdeithas y Beibl. Yr oedd chwilfrydedd dychweledigion y diwygiadau wedi ei ddeffro, ac awydd anniwall ynddynt am gynyddu mewn gwybodaeth ddiwinyddol, pe bai ond i egluro iddynt eu hunain y profiadau o ras Duw y buont yn gyfranogion ohono. Ymateb i'r her hon oedd gorchest Thomas Charles.

Yr Hyfforddwr

Yr enwocaf o gatecismau Charles yw *Hyfforddwr yn Egwyddorion y Grefydd Gristionogol*, teitl, yn ôl Hugh John Hughes, a Gymreigiwyd o'r pwysicaf o weithiau John Calfin, *Institutio Christianae Religionis*. Argraffwyd ef gyntaf yn Y Bala yn 1807 gan Robert Saunderson, 'dros, ac ar werth gan S. Charles,' sef Sali, gwraig Thomas. Y mae iddo 104 tudalen, a'r rheini tua'r un maint â'i ragflaenydd. Nid yn annisgwyl, mae'r llyfryn yn dangos peth o ddylanwad *Hyfforddiad* Griffith Jones, ond mae *Hyfforddwr* Charles yn fyrrach, ac, o bosib, yn agosach at fyd plant. Erbyn hyn yr oedd Charles dros ei hanner cant oed, ac yn *Yr Hyfforddwr* gwelir ffrwyth ei brofiad maith yn holi plant mewn sawl ardal. Ond er byrred yw, mae'n gynhwysfawr ryfeddol. Mae'n trafod holl bynciau sylfaenol y Ffydd Gristnogol yn drefnus mewn cyfres o 271 o gwestiynau ac atebion, ac ar ddiwedd pob ateb ceir cyfeiriadau at adnodau perthnasol. O feistroli cynnwys yr *Hyfforddwr* byddai gan y defnyddwyr grynodeb gwir werthfawr o fframwaith yr athrawiaeth Gristnogol a fynegir yn y Testament Newydd fel y deallwyd hi yn y traddodiad Calfinaidd clasurol.

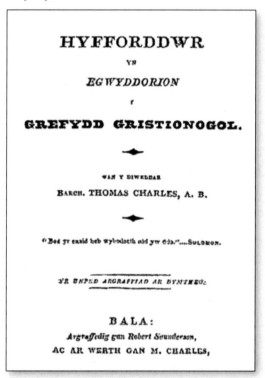

Mae'r *Hyfforddwr* yn dechrau, fel y gellid disgwyl oddi wrth feddwl mor ddisgybledig ag un Thomas Charles, gyda'r gwirioneddau Beiblaidd am Dduw a'i brif nodweddion, cyn symud ymlaen at hanes creu dyn a'i gwymp yn Eden. Yna manylir am berson Crist a'r Cyfamod Gras, cyn sôn am swyddau Crist. Trafodir y ffordd y mae adfer y berthynas rhwng Duw a dyn drwy ffydd yn yr Arglwydd Iesu Grist. Rhoddir pwyslais ar waith yr Ysbryd Glân. Yna edrychir ar le'r hen gyfraith Iddewig ym mywyd y credadun. Nodir y moddion (y cyfryngau) sydd gan Dduw i beri fod ei ras yn llifo i'r ddynoliaeth. Y mae pennod gynhwysfawr ar Swper yr Arglwydd, a gorffennir gyda'r Pethau Diwethaf, sef Atgyfodiad a Dyrchafiad Crist, Atgyfodiad y Corff a Dydd y Farn.

Y cwestiwn pwysicaf y gall dyn ei ofyn yw hwnnw sydd ar ddechrau'r seithfed bennod o'r *Hyfforddwr*, 'Pa fodd y mae i bechadur gael ei gyfiawnhau ger bron Duw?' Atebir yn ddigyfaddawd, 'Trwy ffydd yng nghyfiawnder Crist yn unig.' Yna dyfynnir adnodau i brofi'r pwynt, 'Yr ydym ni gan hynny yn cyfrif mai trwy ffydd y cyfiawnheir dyn heb weithredoedd y ddeddf. *Rhuf. 3:28, a 10:3.*' Mae'r ateb hwn yn cysylltu Methodistiaeth Cymru yn uniongyrchol â dysgeidiaeth Martin Luther a'r Diwygwyr Protestannaidd, fod y pechadur truenusaf, wrth iddo edifarhau a'i daflu'i hun at draed yr Arglwydd Iesu mewn edifeirwch, yn derbyn maddeuant llawn o'i bechodau, ac wrth wneud hynny, y mae'r 'anian newydd' y canodd David Charles (brawd Thomas Charles) mor odidog amdani, yn cael ei phlannu yn ei enaid.

Dyfynnwyd uchod sylw Dr Tudur Jones ei bod yn rhagluniaethol fod addysgwr pennaf Cymru yn coleddu meddyliau aruchel am urddas a gwerth y Gymraeg. Mae'r un mor rhagluniaethol, o ystyried y modd y gorlifodd athroniaeth faterol, anghrediniol, y Chwyldro Ffrengig dros feddylfryd a rhagdybiaethau athronyddol diwinyddion Lloegr yn y bedwaredd ganrif ar bymtheg, fod diwinydd mwyaf dylanwadol Cymru wedi gwreiddio cenedlaethau o'i gydwladwyr yn uniongrededd Calfinaidd y Piwritaniaid a Chyffes Ffydd diwinyddion Westminster ac argyhoeddiadau'r Diwygiad Protestannaidd.

Mae cyhoeddi pedwar ugain argraffiad o'r *Hyfforddwr* o fewn y bedwaredd ganrif ar bymtheg yn dangos y defnydd helaeth a fu arno, gan sicrhau iddo ddylanwad eang. Yn Y Bala yr argraffwyd y chwe argraffiad ar hugain cyntaf, cyn symud ymlaen at wasg yn Llundain ac yna yn Wrecsam. Yn ychwanegol at hyn, bu dau argraffiad yn yr Unol Daleithiau ar gyfer y Cymry yno. Fe'i cyfieithwyd i'r Saesneg yn 1867 gan ŵyr Charles, y Parchedig David Charles, cyd-sylfaenydd Athrofa'r Bala, cyn ei benodi'n Brifathro Coleg Trefeca. Trysorwyd rhannau helaeth o'r *Hyfforddwr* ar gof gwerin gwlad. Yr oedd gwraig a drigai ym Mangor Uchaf, Mrs Parry, Bryn Golau, ac a addolai yng nghapel y Tŵr-gwyn tua chanol chwedegau'r ugeinfed ganrif, yn cofio dysgu'r *Hyfforddwr* drwyddo yn ei hieuenctid, megis y gwnaeth yr enwog Mari Jones. Perchid ac anwylid y llyfryn hwn gan bob haen o'r werin grefyddol Gymreig ac mae'n anodd cael portread gwell o'r meddylfryd hwn nag a welir yn nofel Daniel Owen, *Rhys Lewis*, lle mae Mari Lewis, mam Rhys, yn dweud wrth Mr Brown, y Person, 'Dydw i yn deyd dim am eich Common Praur chi, Mr. Brown, ond mi ddeyda hyn mai llyfr Duw ydi'r Beibil, a does gen i ddim ofn deyd hefyd mai'r llyfr nesa ato fo ydi Fforddwr Charles ...'[7]

Trysorfa Ysprydol

Perthyn i'r ail ddosbarth o ddarpariaeth y mae'r cylchgrawn *Trysorfa Ysprydol* y dechreuwyd ei gyhoeddi yn 1799, gyda Thomas Jones, Dinbych, yn gyd-olygydd, ac a argraffwyd yng ngwasg W. C. Jones, Caer. Cynhwysai, yn ôl y dudalen-deitl, 'Amrywiaeth o bethau ar amcan Crefyddol, yn athrawiaethol, yn annogaethol, yn hanesiol, &c. y'nghyd ag ychydig

---

[7] Wrecsam, 1885, t. 155.

farddoniaeth.' Mae'n cynnwys 374 tudalen, a'r rhai hynny'n mesur 21.5 cm wrth 12.5 cm. Mae ynddo bregethau gan y golygyddion,[8] bywgraffiadau a hanesion, er enghraifft, gwelir yma ddechrau cyfres o 'Ymddiddanion rhwng Scrutator (Thomas Charles) a Senex (John Evans, Y Bala)'[9] a grybwyll-wyd eisoes, adroddiadau o'r Sasiynau, ac emyn gorfoleddus

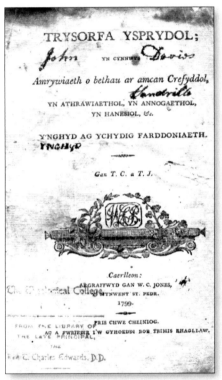

Thomas Jones, 'Mi wn fod fy Mhrynwr yn fyw,'[10] a welodd olau dydd yma am y tro cyntaf. Dyma'r emyn a gyfrifai Saunders Lewis yn 'un o emynau mwyaf Calfinaidd yn yr

---

[8] tt. 5-13, a 65-75.

[9] Cyhoeddwyd yr Ymddiddan cyntaf ar dudalennau 30-36. Ail-gyhoeddwyd y cyfan yn *AJE*.

[10] t. 64.

iaith.'[11] Ymddangosodd yr ail gyfrol gyda'r teitl plaen, *Trysorfa*, yn 1813, tan olygyddiaeth Charles yn unig, a'i hargraffu yn Y Bala. Mae'n cynnwys 522 o dudalennau, gyda phob un ohonynt yn mesur 20.5 cm wrth 12 cm.

Geiriadur Ysgrythyrol

GEIRIADUR YSGRYTHYROL;

YN CYNNWYS

ARWYDDOCAD GEIRIAU ANGHYFIAITH,

YNGHYD AG

ENWAU AC HANESION

YR

AMRYWIOL GENEDLOEDD, TEYRNASOEDD, A DINASOEDD

A GRYBWYLLIR AM DANYNT YN YR YSGRYTHYRAU:

HEFYD

ESPONIAD BYR

AR HOLL BRIF BYNCIAU CREFYDD:

AC Y MAE YN DANGOS

SEFYLLFA a MAINTIOLI MYNYDDOEDD; NATURIAETHAU CREADURIAID; COEDYDD a MEINI GWERTHFAWR; ABERTHAU, GWYLIAU, a SEREMONIAU IUDDEWIG;

YNGHYD A'U

CYFEIRIAD A'U HARWYDDOCAD

FEL

CYSGODAU O BETHAU YSPRYDOL AC EFENGYLAIDD.

Y LLYFR CYNTAF.

בלא-דעה נפש שש לא-טוב

' Bod yr enaid heb wybodaeth nid yw dda.'

SALOMON.

BALA,

ARGRAFFWYD GAN R. SAUNDERSON.

1805.

---

[11] *Llên Cymru a Chrefydd* (Abertawe), 1977), t. 461.

Nid i Thomas Charles y daeth yr anrhydedd o lunio Geiriadur Beiblaidd cyntaf y Gymraeg, ond i Siôn Robert Lewis (1731-1806), yr Almanaciwr o Gaergybi, brodor o Lanaelhaearn, Sir Gaernarfon, a brofodd dröedigaeth yn ystod un o genadaethau Howel Harris (1714-73) yn Llŷn ac Eifionydd. Argraffwyd y *Geir-lyfr Ysgrythurol* yn Nulyn yn 1773 ac yr oedd 'yn newydd i'r wlad, a buan y gwasgarwyd yr argraffiad.'[12] Bwriad Siôn Robert Lewis oedd cyhoeddi ail argraffiad wedi'i helaethu o'r gyfrol hon tua 1788. Nid yw'n hysbys, bellach, paham y diffygiodd Lewis yn ei amcan, ond gwyddys fod John Humphreys (1767-1829), Caerwys, wedi prynu'r llawysgrif gyda chydsyniad Thomas Charles a Thomas Jones.

Gyda synnwyr trannoeth gallwn ddweud yn ddibetrus mai'r gymwynas fwyaf a wnaeth Siôn Robert Lewis â llenyddiaeth Gristnogol Cymru oedd cilio oddi wrth y *Geir-lyfr*, gan adael y maes hwnnw'n gwbl agored i Thomas Charles, gŵr a ragorai ganwaith arno o ran diwylliant a dysg. Dangosodd Dr Tudur Jones fod Charles yn ysgolhaig gofalus,[13] gyda llawer o ddiddordeb a gallu mewn gwahanol ieithoedd: dwy brif iaith y Beibl, yr ieithoedd clasurol, yn ogystal â'r gallu i ddarllen Ffrangeg ac Eidaleg. Yr oedd amlochredd diwylliant Charles yn sail gadarn iddo atgoffa'r Cymry o holl wreiddiau eu diwylliant brodorol. Arferai Charles ddarllen 'yr Ysgrythurau Sanctaidd yn yr ieithoedd y llefarodd yr Ysbryd Glân hwynt.'

Argraffwyd y *Geiriadur Ysgrythyrol* gan Saunderson yng ngwasg newydd Y Bala. Ymddangosodd mewn pedair cyfrol, y gyntaf yn 1805 a'r olaf yn 1811. Ni rifir tudalennau'r cyfrolau

---

[12] Gwilym Lleyn, *Llyfryddiaeth y Gymry* (Llanidloes, 1869), tt. 543-44

[13] 'Diwylliant Thomas Charles o'r Bala', yn J. E. Caerwyn Williams (gol.), *Ysgrifau Beirniadol, Cyfrol IV*, tt. 98-115.

hyn, ond mae'r pedair yn ymddangos yn dewach nag ail lyfr *Y Drysorfa*, a sylwyd uchod fod y gyfrol honno'n cynnwys 522 tudalen. Gellir awgrymu, felly, fod yr holl waith yn cwmpasu dros ddwy fil o dudalennau, ac mae'n sicr ei fod gyda'r mwyaf sylweddol a argraffwyd ac a gyhoeddwyd yn Y Bala.

Diben Charles, meddai, oedd 'Egluro geiriau arferedig yn yr Ysgrythyrau: y mae hyn yn arwain yn naturiol, i agoryd athrawiaethau, egluro testunau, a rhoddi hanes defodau, seremonïau, personau enwog, neu deyrnasoedd, &c. a sonnir am danynt yn yr Ysgrythyrau Sanctaidd.'

Wrth drafod y gair 'Duw' dywed Charles nad oes modd crefydda'n briodol heb adnabyddiaeth gywir o'r gwir Dduw, ac mai yn yr Ysgrythurau y mae'r dystiolaeth hon ar gael. Mae Charles yn gwbl bendant na ellid achub dyn o'i drueni heb fod cyfiawnder dwyfol yn cael ei anrhydeddu. A dyma ryfeddod yr oesau, fod ail Berson y Drindod Sanctaidd wedi ymostwng i fod yn ddyn, wedi byw yn ôl gofynion cyfraith ei Dad Nefol, ac wedi ei osod ei hun yn aberth ar y groes dros bechodau'r byd. Ymddiried yn aberth y Mab yw'r ffordd i gymod â Duw, profi maddeuant pechodau yn y byd hwn, a bywyd tragwyddol yn y byd a ddaw.

Wrth ymdrin â'r *Geiriadur* mae'r Athro Densil Morgan yn ei alw'n 'un o gyfrolau mwyaf sylweddol y diwylliant Beiblaidd Cymraeg', gan ddyfynnu barn Dr Lewis Edwards amdano, fod hwn wedi gwneud mwy 'i ddiogelu'r Gymraeg na dim, ac eithrio'r Beibl ei hun.' Mynn Dr John Davies mai gwir bwrpas y *Geiriadur*, fel *Yr Hyfforddwr* o'i flaen, oedd hybu gwaith yr Ysgolion Cylchynol a'r pwyslais ynddynt ar ddarllen a deall y Beibl. Yn wir, mae John Davies yn gweld cyhoeddi'r *Geiriadur* yn arwydd fod y Methodistiaid yn 'ailgydio mewn traddodiad o addysg feiblaidd ... a gychwynnwyd gan Peter Williams yn

1770 â'i Feibl anodiedig'.[14]

Llawysgrif y *Geiriadur*

Y mae un darn o'r *Geiriadur*, yn llawysgrifen Charles, wedi goroesi. Mae'n cynnwys tua phedair ugain dalen, a'r cyfan wedi'u rhwymo mewn cloriau o bapur llwyd. Dechreua'r rhan hon gyda'r gair 'Dyn', ac mae'n ymestyn hyd 'Ehediad'. Ysgrifennodd Charles yr erthyglau ar un ochr i'r ddalen, gan ddefnyddio'r ochr gyferbyn ar gyfer cywiriadau ac ychwanegiadau.

Mae'n rhyfeddod fod Robert Saunderson, gŵr ifanc a oedd bron yn ddi-Gymraeg pan gyrhaeddodd Y Bala, wedi llwyddo cystal i droi llawysgrif Charles [tudalen 64] yn llyfr taclus. Wrth edrych ar y fersiwn printiedig o'r ddalen [tudalen 65], mae'r cywirdeb yn syfrdanol. Rhan ydyw o'r ymdriniaeth o'r gair 'DYSCLAER'.

Y peth cyntaf i sylwi arno yw'r llythrennau a ddefnyddia Charles wrth ysgrifennu. Edrycher ar y trydydd gair ar ben y ddalen: (os oes anhawster darllen y gair, edrycher ar y gair olaf yn llinell gyntaf y fersiwn argraffedig, 'oruchwyliaethau'). Sylwer mai 'oruχwylieit̲au' a ysgrifennodd Charles. Mae'n defnyddio'r *Chei* Roegaidd, 'χ', am y llythyren 'èch' yn y Gymraeg. Cyn diwedd yr un gair gwelir llythyren anghyffredin arall gan Charles. Ceisio ysgrifennu'r sain 'eth' y mae. Y ffordd arferol i wneud hynny yw defnyddio dwy lythyren gyda'i gilydd, 'th'. Mae Charles yn ceisio cyrraedd yr un diben drwy ysgrifennu 't' i ddechrau, ac yna mae'n estyn troed y llythyren ryw ddau neu dri milimedr. Wrth geisio cyfleu hyn mewn print, llwyddwyd i osod is-linell (*underscore*) i gyffwrdd â throed y 't' a chreu un llythyren. Yr un egwyddor sydd ar

---

[14] *Hanes Cymru* (argraffiad diwygiedig, Llundain, 2007), t. 311.

Tudalen o'r *Geiriadur* yn llawysgrif Thomas Charles
trwy ganiatâd Llyfrgell Genedlaethol Cymru.

DYR

DYS

DYRYSNI, (dyrys) prysgle, prysglwyn. Gen. 22. 13. Esa. 9. 18. Ier. 4. 29.

DYSCLAER—EIRIO. (dys-claer) *Gr.* Σιλαγιω, ysplenydd, echdywynedig, claer-wych, harddwych, tryloyw. Gelwir barnedigaethau Duw, ' Ei gleddyf a'i wayw-ffon *ddysclaer,* o herwydd eu bod yn gyfiawn, yn sanctaidd. ac yn ofnadwy iawn. Deut. 32. 41. Hab. 3. 11.—— tr *cisgoedd dysclaer,* sydd yn arwyddo purdeb, sancteiddrwydd, ac ardderchawgrwydd gogoneddus; ac, yn aml, yn ddarluniad o rai yn gweinyddu mewn swyddau goruchel, ac yn arwydd o ardderchawgrwydd y personau, o'u sêl a'u ffyddlondeb yn eu gwaith sanctaidd. Marc 9. 3. Luc 9. 29. a 24. 4. Dad. 15. 6. a 19. 8.——*Goleuni dysclaer* oedd, yn aml, yn arwydd o'r presennoldeb dwyfol, yn gweithio yn dirion, yn rasol, ac yn ogoneddus, fel Duw yr iechydwriaeth, yn ei oruchwyliaethau tuag at ei eglwys. Exod. 24. 10. 2 Sam. 22. 13. Ezec. 1. 4. 8. 2. a 10. 4. Act. 26. 13. 2 Thes. 2. 8. *Edr.* CWMWL.——Yr oedd *dyscleirdeb* croen wyneb Moses, wedi bod gydâ Duw ar y mynydd, yn arwydd o berffeithrwydd gogoneddus y gyfraith, ynghyd â'r holl osodiadau cysgodol yr oruchwyliaeth hono, fel y gosodent allan, trwy arwyddion cysgodol, yr Arglwydd Iesu, a'r iechydwriaeth drwyddo.

' Yr hwn ac efe yn *ddyscleirdeb* ei ogoniant ef.' Heb. 1. 3. ος ων απαυγασμα της δοξης, llewyrchiad, pelydriad, arddysgleirdeo y gogoniant. Nid yw y gair yn cael ei arferyd yn un man yn yr holl ysgrifenadau sanctaidd, ond yn y lle hwn. Mae awdwr y llyfr a elwir Doethineb, pen. 7. 26. wrth rhoddi clod doethineb, yn ei galw, ' *dyscleirdeb* y goleuni tragywyddol.' Mae y geiriau, *dyscleirdeb ei ogoniant,* yn gyfieithiad agos iawn o'r geiriau yn Ezec. 10. 4. יהוה כבד נגה את *dyscleirdeb gogoniant IEHOFAH.* Mae yn dra thebygol, fod y geiriau yr cyfeirio meddwl yr Hebreaid at ryw beth cysgodol yn eu plith, ag oedd yn eu haddysgu yn y dirgelwch mawr hwn. Gelwir yr arch, *y gogoniant—ci brydferthwch,* 1 Sam. 4. 22. Ps. 78. 61. Mae Crist yn ateb yn gyfiawn i'r holl arwyddion *dysclaer* o ogoniant Duw yn eu plith, ac mae yr apostol yn galw

Y dudalen gyfatebol yn argraffiad Robert Saunderson, Y Bala, 1808.

waith gydag 'èll': ar y dudalen hon fe welir 'hol‿' am 'holl' ac 'al‿an' am 'allan'. Yn ychwanegol at hyn, mae Charles yn defnyddio'r *Delta* Roegaidd, 'δ', am 'èdd'. Mae enghreifftiau eraill i'w canfod yn y drydedd a'r bedwaredd linell, 'Yr oeδ' a 'mynyδ'. Ac i ychwanegu ymhellach at gymhlethu gwaith Saunderson, mae Charles yn sillafu 'gyfraith' gyda 'vi' am 'ef', heb sôn am y 't‿' ryfedd am 'èth' ar y diwedd.[15]

Mae trylwyredd Charles yn ogystal â'i feistrolaeth ar yr ieithoedd gwreiddiol yn cael ei adlewyrchu ar y dudalen hon wrth iddo drafod y gair 'disgleirdeb'. Mae'n dechrau drwy ddyfynnu Hebreaid 1:3, 'Yr hwn ac eve yn <u>δysgleirdeb</u> ei ogoniant ev.' Yna mae'n ysgrifennu'r geiriau Groeg gwreiddiol, 'ος ων απαυγαςμα της δοξης', (heb acennu'r llafariaid), ac yna, ar y ddalen gyferbyn, mae'n ychwanegu'r sylw mai yma'n unig y mae'r 'gair yn cael ei arveryd yn un man yn yr hol‿ Ysgrivenadau Sanctaiδ'. Yna fe ddywed fod y 'geiriau "dysgleirdeb ei ogoniant" yn gyvieithiad agos iawn o'r geiriau Heb[raeg] yn Esec: 10:4.' Ar ôl dyfynnu'r Hebraeg (gyda'r cytseiniaid heb eu pwyntio), o ddiwedd Eseciel 10:4, את נגה כבוד יהוה, mae'n trawslythrennu'r cyfan, 'ath nage cabod Jehovah' a'u gosod uwchben y geiriau Hebraeg cyfatebol fel y gallai aelodau cyffredin yr Ysgolion Sul eu hynganu. Ystyrier dau bwynt: trylwyredd Charles yn mynd ar ôl ystyron y gwreiddiol, a phenbleth yr argraffydd. Gwelodd Robert Saunderson fod cyfle iddo ddefnyddio'r ffontiau Groeg a Hebraeg a archebwyd pan sefydlwyd y wasg. Nid oedd y dasg a'i hwynebai o gysodi llythrennau Groeg mor wahanol â hynny i'r dasg o gysodi'r ieithoedd Ewropeaidd eraill, gan fod y ffont berthnasol ganddo, ond mae'r Hebraeg

---

[15] Dilynais yr enwau sydd gan T. Hudson-Williams ar lythrennau Groeg ar ddechrau'i gyfrol, *Groeg y Testament Newydd* (Wrecsam, 1927), a Peter Wynn Thomas ar lythrennau'r Gymraeg, *Gramadeg y Gymraeg* (Caerdydd, 1996), t. 750.

yn wahanol. Mae llythrennau'r iaith honno, fel sy'n gyffredin yn yr ieithoedd Semitig, yn cychwyn ar y dde ac yn mynd rhagddynt i'r chwith. Wrth gymharu'r paragraffau hyn o'r llawysgrif â'r fersiwn argraffedig, mae'n rhaid cydnabod fod Saunderson wedi cyflawni cryn orchest.

Mae Gwenallt yn ei gerdd i'r Esgob William Morgan yn ei ganmol am 'ei ddygnwch, ei ddewrder a'i santeiddrwydd', heb sôn am ei 'gymorth i gadw'r genedl a'r iaith lenyddol yn fyw.' Rhoddodd yr Esgob urddas ar yr iaith, meddai Gwenallt, 'Wrth ei throi yn un o dafodieithoedd Datguddiad Duw.'[16] Mae dygnwch a llafur Thomas Charles yn y Bala yn darparu'r fath *Eiriadur* i'w canmol hefyd, oblegid yn y gyfrol hon, heb sôn am ei gyhoeddiadau eraill, fe roes i werin grefyddol Cymru ysgolheictod Beiblaidd gorau'r oes, a'r cyfan wedi'i dylino yng ngwres y Diwygiad Methodistaidd. A'r rheswm paham y llafuriodd Charles gymaint oedd ei fod yn credu'n gydwybodol fod y Gymraeg yn un 'o dafodieithoedd Datguddiad Duw'. Meddai Dr Tudur Jones, 'Nid gwiw inni anghofio'r pwyslais a roddai'r Calfiniaid ar Ragluniaeth Duw. Nid damwain hanesyddol mo'r Gymraeg ... Yr oeddynt yn gwneud eu gorau yn ôl eu goleuni i fynegi'r argyhoeddiad fod yr iaith ei hunan, cyfrwng y gwareiddiad a oedd dan eu dwylo, yn rhodd Duw.'[17] Dim ond yn y Dydd y soniodd yr Hen Ŵr o Bencader amdano y gwerthfawrogir cyfraniad Charles i barhad yr iaith.

Emynau

Rhaid enwi un llyfr arall a olygwyd gan Charles ac a

---

16 *Gwreiddiau* (Aberystwyth, 1959), tt. 50-51.

17 'Rhyddiaith Grefyddol y Bedwaredd Ganrif ar bymtheg' yn *Y Traddodiad Rhyddiaith*, gol. Geraint Bowen (Llandysul, 1970), t. 352.

argraffwyd yn Y Bala, sef *Casgliad o Hymnau; gan mwyaf heb erioed eu hargraffu o'r blaen*, ac fe'i cyhoeddwyd yn 1806. Mae'r ail argraffiad (1808) yn ymestyn hyd at 48 o ddalennau ac yn cynnwys 65 o emynau. Mae hwn yn cynnwys nifer o emynau Ann Griffiths, ac o leiaf un o emynau John Elias.[18] At hyn mae ynddo ddetholiad chwaethus o blith emynau Williams Pantycelyn, Dafydd Jones o Gaeo a Thomas Jones, Dinbych, ac nid esgeulusodd emynau ei frawd, Dafydd Charles (1762-1834), Caerfyrddin.

Manteisiodd Charles ar ei awdurdod fel golygydd y casgliad i gynnwys ei emyn ei hun, 'Hyder y Pererin cystuddiol'. Meddai'r Athro R. Geraint Gruffydd am yr emyn hwn, 'nad yw'n annheilwng o gwbl o'i restru gyda goreuon cynnyrch ail reng yr emynwyr Methodistaidd.'[19] Mewn deg pennill wyth llinell mae'n mynegi ei brofiad wrth edrych yn ôl ar ddigwyddiadau mis Rhagfyr 1799. Buasai ar daith bregethu yn Sir Gaernarfon a thra'r oedd yn marchogaeth yng nghyffiniau Caernarfon, ar ei ffordd i Sasiwn Llanrwst, daeth neges iddo fod ei nai, David Thomas a ymgartrefai gydag ef yn Y Bala, ond a oedd ar y pryd, ynghyd â Thomas Rice (mab hynaf Charles) yn Ysgol Amwythig, wedi'i daro'n argyfyngus o wael. Anelodd Charles yn syth am adref, drwy Ryd-ddu, Beddgelert a Than-y-bwlch, ond daliwyd ef gan storm o eira enbyd ar y Migneint, a gafaelodd y rhew ym mawd ei law chwith. Colli'r

---

[18] Emyn rhif 7 sy'n cychwyn gyda'r pennill 'Mae haeddiant mawr, rhinweddol waed fy Nuw'. Mae Charles yn cynnwys pum pennill, ac fe'u cynhwyswyd oll gan Morris Davies yn *Casgliad o Salmau a Hymnau* (Bala, 1835), ond pedwar a ymddangosodd yn *Llyfr Hymnau y Methodistiaid Calfinaidd* (Wrecsam, 1884), a dau bennill yn unig yn *Llyfr Emynau y Methodistiaid Calfinaidd a Wesleaidd* (Caernarfon a Bangor, 1927). Nid oes linell o'r emyn yn *Caneuon Ffydd*.

[19] 'Thomas Charles yr emynydd', yn E. Wyn James (gol.), *Y Ffordd Gadarn: Ysgrifau ar Lên a Chrefydd* gan R. Geraint Gruffydd (Pen-y-bont ar Ogwr, 2008), t. 194. Am yr emyn cyfan gweler tt. 98-101.

dydd a wnaeth David Thomas druan ganol Rhagfyr. Gwelodd meddygon, ar ôl gweini arno am flwyddyn, nad oedd y briw ar fawd Charles am wella ohono'i hun, a phenderfynwyd ei dorri ymaith. Dyna a ddigwyddodd ar 24 Tachwedd 1800.[20]

Ystyrid fod ei fywyd mewn perygl gwirioneddol, a galwodd yr eglwys yn Y Bala am Gyfarfod Gweddi yng nghartref Charles y noson cyn y driniaeth.

Dyma'r cyfarfod enwog y gweddïodd Richard Owen, un o flaenoriaid seiat Y Bala, ar i Dduw estyn einioes Thomas Charles, gan gyfeirio'n benodol at yr addewid a dderbyniodd y Brenin Heseceia yr ychwanegid pymtheng mlynedd at ei

RICHARD OWEN, Y GWEDDÏWR.

ddyddiau (Eseia 38:5). 'Pymtheg mlynedd yn ychwaneg, O Arglwydd, yr ydym yn erfyn am bymtheg mlynedd o estyniad at ddyddiau ei oes, – ac oni roddi di bymtheng mlynedd, O ein Duw, er mwyn dy eglwys a'th achos?'[21] Nodwyd eisoes ddisgrifiad Richard Jones, Y Bala, o'r cyfarfod hwn.[22]

Ymddangosodd nifer o benillion emyn Thomas Charles yn llyfrau emynau'r gwahanol enwadau yng Nghymru yn ystod y bedwaredd ganrif ar bymtheg, a chafwyd y cwbl ohonynt (mewn tair rhan, emynau 618, 619, a 620) yn *Llyfr Emynau y Methodistiaid Calfinaidd a Wesleaidd* yn 1927, ond diarddelwyd

---

[20] *LTC*, II, tt. 242-46.

[21] 'Cofiant y diweddar Barch. Thomas Charles,' *Trysorfa*, Llyfr III (Bala, 1822), t. 35.

[22] Gweler t. 28.

Charles a'i emyn yn llwyr o *Caneuon Ffydd*. Hyfrydwch oedd clywed canu rhai o'i benillion yn y Gymanfa Ganu a recordiwyd yng Nghapel Tegid ar union ddiwrnod daucanmlwyddiant marwolaeth Charles.

Emynau Ann Griffiths

Ail hynodrwydd y gyfrol hon yn hanes emynyddiaeth Cymru, fel yr awgrymwyd uchod, yw mai yma yr ymddangosodd emynau Ann Griffiths am y tro cyntaf. Wrth eu cyflwyno i'r genedl, ysgrifenna Charles:[23]

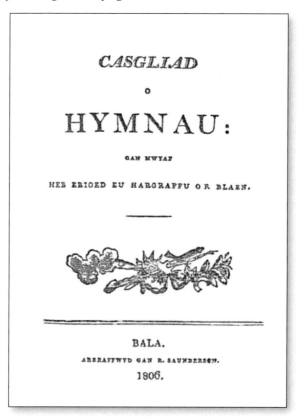

CASGLIAD

o

HYMNAU:

GAN MWYAF

HEB ERIOED EU HARGRAFFU O'R BLAEN.

BALA,

ARGRAFFWYD GAN R. SAUNDERSON.

1806.

---

[23] Cadwyd at orgraff y gwreiddiol.

Maent yn dangos ehediadau cryfion, a golygiadau ar Berson Crist a'i aberth, sydd oruchel a thra-gogoneddus. Wedi gorphen er ys dyddiau â'i thaith drafferthus yma, mae, heb le i ammeu gan neb oedd yn ei hadnabod, gyda y dorf orfoleddus fry, yn syllu ar y Person a garodd, ac y canodd am dano yma mor hyfryd. Ymadawodd, gan orphwys yn dawel ac yn ddiysgog ar drefn sefydlog a chyfamod sicr y Drindod, mewn perthynas i gadwedigaeth pechaduriaid trwy y Cyfryngwr mawr ... Gellir gweled yn eglur, yn agwedd ei hysbryd, y fath yw dysgeidiaeth yr Ysbryd Glân, i bechadur. Nid goleuni heb wres yw ei oleuni: nid syniad cnawdol am Grist, heb barch mwyaf goruchel iddo, mae yn ei genhedlu; ond mae ei oleuni yn dysgu pechadur i adnabod Crist yn gywir, yn ôl tystiolaeth y gair am dano; ac hefyd yn llenwi y meddwl â'r cariad a'r parch mwyaf iddo.

Er cymaint y bri rhyngwladol a fwynhaodd Ann Griffiths fel emynyddes, bu rhaid aros tan 1998 i gael casgliad cyflawn o'i hemynau wedi eu golygu'n chwaethus a dibynadwy gan yr Athro E. Wyn James.[24] Cynhwysir yn y gyfrol ysblennydd hon dri deg o emynau, ac y mae iddynt 73 o benillion. Y mae cymaint â 44 o'r rhain yn cael eu cynnwys yng nghasgliad Thomas Charles.

Ystyrier dwy ffaith: (1) yn Y Bala yr argraffwyd emynau Ann Griffiths gyntaf erioed; (2) Thomas Charles, prif arweinydd Methodistiaid Y Bala, oedd y golygydd. O gyfosod y ddeubeth hyn, mae'n rhesymol awgrymu mai ym Methel, hen gapel Methodistiaid Y Bala, y canwyd emynau Ann Griffiths yn gyhoeddus am y tro cyntaf.

---

[24] *Rhyfeddaf Fyth ..., Emynau a llythyrau Ann Griffiths* (Gwasg Gregynog).

Y
BIBL CYSSEGR-LAN
Argraffiad Ystrydeb

LLUNDAIN:

Argraffedig gan GEORGE EYRE ac ANDREW STRAHAN,
Argraffwyr i'w Ardderchoccaf Fawrhydi y Brenhin,

TROS GYMDEITHAS Y BIBLAU BRUTANAIDD AC IEITHOEDD ERAILL,
A Sefydlwyd yn Llundain yn y Flwyddyn 1804.
Ac ar werth, i Gynnorthwywyr yn unig, gan L. B. Seeley,
Yn Ystordy y Gymdeithas, 169, Fleet Street.

Beiblau 1807 a 1814

Y dasg fwyaf yr ymgymerodd Charles â hi fel golygydd oedd paratoi testun Beibl Cymraeg cyntaf y Gymdeithas Feiblau. Gofynnwyd iddo weithio ar Feiblau'r Gymdeithas er Taenu Gwybodaeth Gristnogol, yr SPCK, argraffiadau 1749 a 1799, ond heb ymyrryd â'r orgraff. Dechreuodd ar y gwaith yn 1804 a chafodd gymorth ei gyfeillion, Thomas Jones, Dinbych, a Robert Jones, Rhos-lan. Ymddangosodd y Testament Newydd yn 1806, a gallai Charles ddweud amdano ei fod yn rhagori ar bob Testament arall a gyhoeddwyd yn y Gymraeg, honiad sy'n mesur ei siom yn 1807 pan ymddangosodd y Beibl, ond heb yr wythfed bennod o Lyfr y Barnwyr o ganlyniad i esgeulustod ar ran y darllenydd proflenni, William Owen Pughe (1759-1835). Cymwynas olygyddol olaf Charles oedd Beibl 1814, un o'r argraffiadau mwyaf cywir a gafwyd o'r Beibl Cymraeg, ac yr oedd hwn yn ffrwyth deng mlynedd o astudio manwl yr holl argraffiadau blaenorol, gan gynnwys Testament William Salesbury a Beibl William Morgan.[25]

Bwriadwyd atgynhyrchu wyneb-ddalen y Beibl hwn, ond, yn anffodus, mae'r copi y syllwyd arno o gasgliad y Llyfrgell Genedlaethol yn ddiffygiol: nid yw'r wyneb-ddalen ynddo. Y gorau y gellir ei wneud dan yr amgylchiadau yw derbyn patrwm wyneb-ddalen y Testament Newydd, a defnyddio'r geiriad sydd yn *The Bible in Wales*,[26] er sylweddoli fod y nodau '...' sy'n dilyn y llinell 'Bibl Cyssegr-Lan' yn awgrymu fod rhai geiriau wedi'u hepgor. Ond o leiaf, mae'n rhoi ryw syniad o'r olwg gyntaf a gafodd miloedd o Gymry ar wawr newydd yn hanes cyhoeddi'r Beibl Cymraeg.

Mae'r Beibl hwn o faint sylweddol, ond eto mae'n gyfrol hydrin. Mae'n mesur 22.5 cm wrth 14.5 cm (gan gynnwys y cloriau), ac yn 9 cm o drwch. Mae tudalennau'r Hen Destament yn cael eu rhifo o 3 hyd 958, ac yn gorffen gyda'r geiriau 'Terfyn y Prophwydi'. Yna daw tri thabl ar y dudalen

---

[25] Codwyd peth o'r paragraff hwn o ddiwedd fy ysgrif ar Thomas Charles yn Meic Stephens (gol.), *Cydymaith i Lenyddiaeth Cymru* (Gwasg Prifysgol Cymru, 1986).

[26] Ballinger J. a Jones, J. I. (Llundain, 1906), t. 26.

nesaf, sef tablau o 'Fesurau Ysgrythyrol', 'Pwysau ac Arian', ac 'Amser'. Mae'r Testament Newydd yn ail ddechrau cyfrif o 3 ac yn cyrraedd 319. Yr eitem olaf ynddo yw 'Tabl Swyddau a Graddau Dynion'.

Dyma'r Beibl a ddosbarthwyd ac a ddarllenwyd ar hyd a lled Cymru am yn agos i ganrif a hanner nes bod yr Athro Henry Lewis, Abertawe, yn diweddaru a safoni'r orgraff yn 1955. Cyhoeddwyd *Y Beibl Cymraeg Newydd* yn 1988, ac yn y Rhagair pwysleisir

> nad yw'n fwriad gan y Cyd-bwyllgor na'r cyfieithwyr i'r *Beibl Cymraeg Newydd* ddisodli Beibl William Morgan ... Erys y Beibl Cymraeg y dathlwn ei bedwarcanmlwyddiant eleni yn brif drysor crefyddol, diwylliannol a llenyddol ein cenedl.

Ymhlyg yn y geiriau hyn y mae gwrogaeth ddiledryw i'r gwaith golygyddol a wnaeth Thomas Charles arno yn Y Bala.

6. Thomas, Mari a'i Beiblau

A hithau'n hirddydd haf yn y flwyddyn 1800, cyfarfu dau Lanfihangel yn nhre'r Bala. Safodd geneth ifanc flinedig, Mari Jones o Lanfihangel y Pennant, a churo ar ddrws tŷ Thomas Charles, yntau'n hanu o Lanfihangel Abercywyn. Nid oedd Mari ond pymtheg oed, ac wedi cerdded chwe milltir ar hugain o Dynddôl, ei chartref Methodistaidd tlawd, i geisio prynu Beibl. Daethai i brofiad personol o'r Ffydd Gristnogol a hithau ond yn wyth mlwydd oed, a'i phennaf dyhead oedd cael meddiannu ei Beibl ei hun. I'r diben hwn cymerodd ddau gam: mynychu'r Ysgol Gylchynol a ddaeth i Abergynolwyn dan ofal John Ellis, Bermo, a cherdded bob wythnos i fferm Penybrynciau Mawr, taith oddeutu dwy filltir o'i chartref, ac yno câi ymarfer darllen Beibl y teulu. Ar un o'r siwrneiau hyn yr oedd pan gyfarfu â Thomas Charles. Dyma fel yr adroddodd hi ei hanes flynyddoedd yn ddiweddarach wrth Lizzie Jones (Rowlands, ar ôl priodi'r ail waith):

> Yr oeddwn yn mynd ar fore Llun, ar ddrycin fawr, i dŷ ffarm tua dwy filltir oddi cartref. Daeth i fy nghyfarfod ŵr bonheddig ar gefn ceffyl gwyn a chlog frethyn amdano, a gofynnodd imi lle yr oeddwn yn mynd ar y fath wynt a glaw mawr. Dywedais mai mynd i ddysgu y testun i dŷ ffarm lle yr oedd Beibl, nad oedd yr un yn nes i'm cartref, a bod gwraig y ffarm wedi dweud y cawn fynd yno at y Beibl oedd ganddi ar y bwrdd yn y parlwr ond i mi dynnu fy nghlocsiau, a fy mod i hel bob dimau ers talwm at gael Beibl, ond na wyddwn lle y cawn un. Y gŵr bonheddig oedd *Charles o'r Bala*. Dywedodd wrthyf am ddod i'r Bala at ryw amser, ei fod yn disgwyl rhai o Lundain, ac y cawn un ganddo.[1]

---

[1] AMC 26,602.

Gwnaeth hanes ei hymroddiad a'i dyfalbarhad gymaint o
argraff ar Charles fel yr adroddodd yr hanes mewn cyfarfod
o'r *Religious Tract Society* yn Llundain ym mis Rhagfyr 1802,
a chynnig y dylid sefydlu cymdeithas newydd, a'i gwaith
fyddai cyflenwi Beiblau i Gymru. Cododd gŵr o'r enw'r
Parchedig Joseph Hughes, Battersea, a chroesawu cynnig
Thomas Charles, ond teimlai y dylai'r gymdeithas newydd
ddarparu Beiblau i holl genhedloedd y byd. Dyma arweiniodd
at gorffori'r Gymdeithas Feiblaidd Frytanaidd a Thramor ym
mis Mawrth 1804.

Amheuon

Cyhoeddwyd yr hanes am daith Mari Jones am y tro cyntaf
yn 1879 gan Robert Oliver Rees, Dolgellau, yn ei lyfryn *Mary
Jones, Y Gymraes Fechan Heb yr Un Beibl*, a'r ail dro yn 1882,
gan Gymdeithas y Beibl, dan y teitl *The Story of Mary Jones and
her Bible*, heb enw awdur, ond yn unig y llythrennau blaen,
'M.E.R.'[2] ond credir mai Mary Emily Ropes ydoedd.

Llugoer, a dweud y lleiaf, yw agwedd Dr D. E. Jenkins
tuag at sail hanesyddol yr hanes am Mary Jones a'i thaith
pan gyfeiria braidd yn swta at y digwyddiad fel '*remarkable
romance in miniature.*'[3] Yn nechrau tridegau'r ganrif ddiwethaf
bychanodd Bob Owen, Croesor, yr hanes, gan fynnu nad oedd
gwirionedd ynddo, a llyncwyd ei haeriadau gan lawer yn gwbl
anfeirniadol. Pan arddangoswyd y Beibl yng Nghanolfan Mari
Jones yn Llanycil ym mis Mawrth 2016, cafodd yr achlysur
sylw gan y cyfryngau Prydeinig. Cyhoeddodd teletestun y
BBC ar Fawrth 18fed yr eitem, '*A 200 year old copy of a bible
which legend claims a 15-year-old girl walked 26 miles to purchase*

---

[2] Wikipedia: 'Mary Jones and the Bible.'
[3] *LTC*, II, t. 492.

has returned to Gwynedd for three days.' Yr ystyr a roddir i'r gair *legend* yw, *'An unauthentic story handed down by tradition and popularly regarded as historical.'*[4] Ond er gwaethaf haeriadau Bob Owen, mynn Miss Monica Davies, Aberystwyth,[5] fod prawf diymwad fod yr hanes yn wir, a bod geneth o'r Bala yn ganolog iddo.[6] Nid yw datganiad didystiolaeth y BBC yn mennu dim arno chwaith.

Y Prawf: Mari, Lydia, a Lizzie

Pan chwalwyd Llyfrgell Coleg Y Bala yn 1965, darganfu dau aelod o staff y Llyfrgell Genedlaethol, David Jenkins a Bryn Williams, Feibl yno, argraffiad y SPCK, 1799. O'r tu mewn canfuwyd y nodyn hwn:

> Beibl Lydia Williams, nith Mary Jones ag oedd yn cyd-drigo a hi ac a fu farw o'i blaen. Ar ei gwely angau rhoes Lydia ei Beibl hwn i mi, sef un o'r tri a roddwyd i Mari Jones gan Mr. Charles. Pan oedd y Coleg yn gollwng un Mari Jones i'r Bible House, gwyddai Dr Lewis Edwards pa le yr ydoedd hwn. Pan ar gyhoeddiad yn y Penrhyndeudraeth galwodd yn fy nhŷ, a phwy oeddwn i i omedd Dr Edwards. I'w ddwylaw sanctaidd – yn llawen, etto yn ddwys, y cyflwynais ef. Lizzie Rowlands
>> (gynt Council School, Penrhyn Deudraeth
>> yn awr Council School, Llandrillo-yn-Edeyrnion.)

Unig ferch Mr a Mrs Evan Jones, Y Bala, oedd Lizzie. Fe'i

---

[4] *The Shorter English Dictionary on Historical Principles,* Gwasg Prifysgol Rhydychen.

[5] Is-Geidwad y Llawysgrifau yn LlGC am ddeugain mlynedd hyd ei hymddeoliad yn 1974, a merch y Parchg Ddr E. O. Davies (a aned ym Metws Gwerfyl Goch), athro diwinyddiaeth Coleg y Bala, 1897-1907.

[6] Gweler ysgrif K. Monica Davies, 'Mary Jones (1784-1864)', *CH*, LII, [1967], tt. 74-80.

ganed yng Nghaer ym mis Tachwedd 1840, ond flwyddyn yn ddiweddarach ymgartrefodd y teulu yn Y Bala, gan gychwyn busnes yn London House. Brawd iddi oedd yr awdur John William Jones (Andronicus, 1842-95).

A hithau'n ddwy ar hugain oed yn 1862 derbyniodd Lizzie'r swydd o oruchwylio plant fferm Gwyddelfynydd, ger Bryn-crug, y pentref y trigai Mari Jones ynddo ers tua 1820. Bellach yr oedd yn weddw a'i golwg yn pallu. Pan glywodd Mari Jones fod geneth o'r Bala yn gweithio yn yr ardal yr oedd yn hynod o awyddus i'w chyfarfod. Adroddodd Lizzie hanes ei hymweliadau â Mari Jones wrth blant capel Gorffwysfa, Penrhyndeudraeth, yn 1904, ac wrth blant *Band of Hope* Llidiardau dair blynedd yn ddiweddarach, ac mae'r anerchiadau hyn, yn llawysgrifen Lizzie, yng Nghreirfa'r Methodistiaid Calfinaidd yn y Llyfrgell Genedlaethol.[7]

Cyflwynir portread byw o Mari Jones yn nisgrifiadau Lizzie ohoni. Pan glywodd Mari fod geneth o'r Bala wedi symud i'r gymdogaeth, cyfaddefodd fod yr enw 'Bala' yn effeithio'n rhyfedd arni. Gofynnwyd i Lizzie alw heibio'i chartref ar ei ffordd i'r seiat neu'r Cyfarfod Gweddi yng nghapel Bryn-crug. Mae'n disgrifio'i hymweliad cyntaf â'r hen wraig. Curodd ar y drws, a dyma lais gwan yn ateb, 'Wn i ddim pwy sydd yna, ond dowch i mewn.' Ymlonnodd Mari pan glywodd mai'r eneth o'r Bala oedd wedi galw i'w gweld. Yr hyn a welodd Lizzie oedd hen wreigan fechan, denau, a golwg felancolaidd arni, yn agos i 80 mlwydd oed, ac yn ddall ers blynyddoedd. Bwthyn hynod o dlawd oedd ei chartref ('y tlotaf y bûm ynddo erioed,' yw sylw Lizzie), gyda llawr pridd, bord fechan ac arni yr oedd cannwyll frwyn. Ni welai Lizzie ragor o ddodrefn yno ond dwy neu dair o ystolion teircoes. Yn y tŷ arferai Mari wisgo pais a betgwn a ffedog *linsey*, a chap gwyn, gyda phlethen

---

[7] AMC 26,601 a 26,602.

bob ochr i'w gên. Ond pan âi i'r capel, byddai ganddi het *'Jim Crow'* a chlogyn glas o frethyn cartref.

Eisteddodd Lizzie ar y stôl yn ei hymyl, ac adroddodd Mari wrthi'r hanes a nodwyd uchod am ei chyfarfyddiad â Thomas Charles a'i anogaeth iddi i ymweld â'r Bala. Yna aeth Mari rhagddi i ddisgrifio'i thaith:

> Pan ddaeth yr amser rhoddodd fy mam yr arian ac ychydig fara a chaws yn un pen i'r waled, a'm clocsiau yn y pen arall, a chychwynnais tua'r Bala ar fore braf, gan orffwys lle byddai ffrwd o ddŵr glân i fwyta'r bara a'r caws. Cyrhaeddais Y Bala, a than grynu curais wrth ddrws tŷ Mr Charles. Gofynnais amdano, ac yr oedd i mewn, yn ei *stydi* yng nghefn y tŷ, a chefais fynd ato. Dywedodd wrthyf nad oedd y Beiblau wedi cyrraedd, a dechreuais innau grïo. Gan na wyddwn lle i aros, anfonodd fi at hen forwyn iddo oedd yn byw wrth gefn ei ardd, i aros tan y cyrhaeddai'r Beiblau. Wedi iddynt gyrraedd, rhoddodd Mr Charles *dri* Beibl i mi am yr arian, sef pris *un*. Cychwynnais adref â'm baich gwerthfawr. Rhedais lawer gan mor falch oeddwn o'm Beibl.

Clywodd Lizzie yr hanes hwn o enau Mari Jones lawer gwaith yn ystod y tair blynedd y bu'n ymweld â hi, hanes sy'n gwahaniaethu mewn ambell fanylyn oddi wrth yr hanesion a argraffwyd ac y soniwyd amdanynt uchod.[8] Darllenodd Lizzie lawer o'r Beibl iddi, a rhyfeddai fel y gallai adrodd penodau ohono, er ei bod yn ddall ers blynyddoedd. Gwyddai ar unwaith pa un ai Efengyl Ioan ynteu Epistol Ioan a ddarllenid iddi, a phan ofynnai Lizzie iddi paham yr oedd yn well

---

[8] Am drafodaeth ar y gwahaniaethau rhwng gwahanol fersiynau o'r hanes, gweler E. Wyn James, 'Thomas Charles, Ann Griffiths a Mary Jones' yn D. Densil Morgan (gol.) *Thomas Charles o'r Bala* (Caerdydd, 2014), yn arbennig tt. 147-150.

ganddi'r Efengyl na'r Epistol, atebai mai geiriau Iesu Grist ei hun sydd yn yr Efengyl.

Tri Beibl

Mae Mari'n sôn am dri Beibl a dderbyniodd o law Thomas Charles. Cadwodd un ohonynt at ei defnydd ei hun, ac mae'r olwg arno'n dangos cymaint y gwerthfawrogwyd ef. Rhoddodd gopi arall i'w chwaer, a dyna'r copi a ddaeth i feddiant Lydia Williams, nith Mari. Fel y gwelwyd yn nodyn Lizzie a ganfuwyd yn y Beibl hwnnw, yr oedd Lydia'n byw yn yr un tŷ â Mari Jacob (fel y gelwid hi yn lleol, atgof y trigolion mai Jacob Jones oedd ei thad). Hi oedd yn gyfrifol am ofalu am Mari yn ei henaint a'i musgrellni. Ond clafychu a wnaeth Lydia hithau, a phan oedd hi ar ei gwely angau, anfonodd am Lizzie, a mynnu ei bod yn derbyn ei Beibl i gofio amdani. Wedi marw Lydia symudwyd Mari i ofal gwraig weddw gyfagos, a bu aelodau'r eglwys fechan ym Mryn-crug yn ofalus iawn ohoni hyd y diwedd.

Er i Lizzie holi llawer am dynged y trydydd Beibl, ni ddaeth unrhyw wybodaeth sicr i'r golwg. Buasai Mari yn briod â Thomas, un o flaenoriaid capel Bryn-crug. Yn eu tro cawsant chwech o blant, ond erbyn yr amser hwn yr oedd pump ohonynt wedi'u claddu, a'r llall, John, wedi ymfudo i America. Mae Lizzie'n dyfalu fod John wedi mynd â'r trydydd Beibl gydag ef.

Gadawodd Lizzie Jones yr ardal ychydig fisoedd cyn bod Mari Jacob yn marw ar 29 Rhagfyr 1866, ond yn rhyfeddol, fe'i gwahoddwyd i dreulio penwythnos olaf y flwyddyn honno ym Mryn-crug. O holi amdani, deallodd ei bod wedi marw, ac felly, yr olwg olaf a gafodd Lizzie ar Mari oedd yn gorwedd yn ei harch.

Cyn marw rhoddodd Mari gyfarwyddyd fod ei Beibl i'w

gyflwyno i ofal ei gweinidog, y Parchedig Robert Griffith (c. 1817-76), Bryn-crug. Gadawodd Robert Griffith ef yng ngofal Robert Oliver Rees, Dolgellau, i'w atgyweirio a'i dacluso, cyn ei anfon ymlaen i Goleg Y Bala.

Symudodd Lizzie i Ddyffryn Ardudwy pan dderbyniodd y swydd o ofalu am blant y Parchedig Edward Morgan. Tua'r adeg yma y priododd â Lewis Jones, athro yn Nyffryn Ardudwy, ond bu ef farw yn 1871. Ddwy flynedd yn ddiweddarach, ymbriododd â Robert Rowlands, athro yn un o ysgolion Y Bala. Yn 1878 symudodd y teulu i Benrhyn-deudraeth pan apwyntiwyd y gŵr yn brifathro yno. Dengys y nodyn yn ei Beibl iddi symud yn ddiweddarach i Landrillo.

Cais Cymdeithas y Beibl

Yn 1878 daeth llythyr oddi wrth Gymdeithas y Beibl at Robert Oliver Rees yn gofyn am i Feibl Mari Jones gael ei gyflwyno i'w gofal, gan y byddai Llyfrgell y Gymdeithas yn gartref addas iddo oherwydd y cyswllt rhwng *the little Welsh girl whose history is identified in so interesting a manner with the origin of this Society.* Trafodwyd y cais yn Sasiwn Wrecsam, Mehefin 1878, ond fe'i gwrthodwyd ar y sail fod y Beibl hwn ynghlwm wrth hanes Thomas Charles, ac felly yn Y Bala oedd ei le.

Ail gais

Daeth ail gais oddi wrth Gymdeithas y Beibl ddwy flynedd yn ddiweddarach. Yn Sasiwn Dolgellau, Mehefin 1880, fe ganiatawyd y cais ar yr amod fod un arall o'r tri Beibl a roddodd Thomas Charles i Mari Jones yn cymryd ei le yn y Coleg. Gwyddai Dr Lewis Edwards am y Beibl a roddwyd i Lizzie. Yr oedd Dr Edwards a'i deulu yn byw drws nesaf ond un i London House, cartref Lizzie yn Y Bala, a byddai hi, pan

oedd yn blentyn, yn arfer galw heibio i chwarae gyda'i ferched
ef. Yng ngwanwyn 1881 galwodd Dr Edwards yng nghartref
Lizzie ym Mhenrhyndeudraeth, a gosod ei achos ger ei bron.
Y mae lle i gredu mai gyda chalon drom y trosglwyddodd
Lizzie'r Beibl a gafodd er cof am Lydia Williams. Mae'r Beibl
hwn bellach yn rhan o Archifau'r Methodistiaid Calfinaidd yn
y Llyfrgell Genedlaethol.[9]

Mari Jones a'i Beibl

Dychwelodd Beibl Mari Jones i'r Bala, o bosib am y tro cyntaf
ers iddo adael y Coleg yn 1881, ar fenthyg gan Gymdeithas y
Beibl, a braint Cymdeithas Cantref oedd ei gynnwys mewn
arddangosfa ym mis Gorffennaf 2004 i anrhydeddu Thomas
Charles ac i gydredeg â dathliadau daucanmlwyddiant
Cymdeithas y Beibl.[10]

Un peth syfrdanol y sylwyd arno pan oedd Beibl Mari Jones
yn yr Arddangosfa oedd yr holl ysgrifennu a ymddangosai ar
unrhyw ofod gwag ar y tudalennau ac ar y terfynau rhwng un
rhan o'r Beibl a'r llall.

Ysgrifeniadau Mari

Dyma ymgais i gofnodi'r arysgrifau amlycaf:

[1] Ynghlwm wrth Feibl yr SPCK 1799 argraffwyd *Llyfr
Gweddi Gyffredin ... Eglwys Loegr*, a dechreua'r ysgrifennu ar
wynebddalen yr adran hon. Ar frig uchaf y dudalen mae'r enw

Thomas Jones Cowrt.

Mae rhywfaint o broblem yn y fan hon, nid gyda'r gair
'Cwrt' (er bod y sillafu yn anghyffredin, oherwydd dyna'r

---

[9] AMC, Bala II, 250.

[10] *Y Cyfnod*, 9 Gorffennaf 2004.

enw sydd ar ymylon pentref
Abergynolwyn ar y ffordd
i Lanfihangel y Pennant
ac sy'n hŷn na gweddill y
pentref a ddatblygwyd gyda
dyfodiad y chwareli llechi),
ond gyda'r cyfenw 'Jones'.
Ar feddfaen Mari, sydd i'w
gweld ym mynwent Bryn-
crug (carreg a godwyd
'trwy danysgrifiadau y
Methodistiaid Calfinaidd
yn y Dosbarth a chyfeillion
eraill'),[11] disgrifir hi fel
'Gweddw Thomas Lewis,
Gwehydd, Bryncrug', a'r
un yw'r enw gan Robert

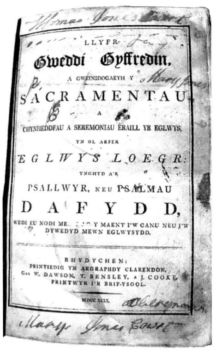

Owen, Pennal.[12] Ond o syllu ar y dudalen hon, yr un llaw a
ysgrifennodd 'Jones' dair gwaith arni, ac mae'n anodd credu y
byddai gwraig mor ddeallus â Mari yn methu deirgwaith wrth
ysgrifennu enw'i gŵr. Yn eglwys Llanfihangel y Pennant y
mae arddangosfa fechan yn cofnodi hanes Mari Jones. Ymhlith
yr eitemau y mae cofnod o'i phriodas yn eglwys Tal-y-llyn, ar
27 o Chwefror 1813. Yno disgrifir y priodfab fel 'Thomas Jones
of the Parish of Towyn, Bachelor'.

O droi'n ôl at y dudalen yn y Beibl, o gwmpas 5 cm i lawr
yr ymyl dde, gyferbyn â'r geiriau 'A GWEINIDOGAETH Y'
mae Mari'n torri ei henw:

[11] Mae darlun o'r beddfaen yn John Morgan Jones a William Morgan,
Y Tadau Methodistaidd, Cyfrol II (Abertawe, 1897), t. 205

[12] *Hanes Methodistiaeth Gorllewin Meirionydd*, Cyfrol I (Dolgellau, 1889),
t. 116.

Mary Jones.

Dyma'r enghraifft gyntaf o lofnod Mari Jones yn ei Beibl yn ôl trefn y tudalennau, ond nid oes dyddiad iddo.

Ar waelod y dudalen, gyferbyn â dyddiad cyhoeddi'r gyfrol, 'M DCC XCIX' ymddengys

Abercynolwn.

Ar waelod eithaf y dudalen, o'r tu allan i ffrâm yr argraffwaith, gwelir

Mary Jones Cowrt.

[2] O droi'r dudalen, yr oedd digon o ofod gwag. Ymarferodd Mari ei sgiliau ysgrifennu ar yr hanner uchaf :

Mary jones y
Mary jones A yduw
Gwyr Berchenog
y beibl hwn
MARRY jones

[3] Gyferbyn ag wynebddalen *Y Bibl Cyssegr-lan*, y mae 'COLECT *I'w arfer o flaen Darllain yr Ysgrythyr Lân*', ac ar ei diwedd fe nodir, '*Y Colect am yr ail Sul yn Adfent.*' Ar frig y dudalen, ysgrifennwyd,

Marry Jones his Book
Aged 45 ..... year.

[4] Neidiwn at y dudalen lle gorffenna'r Hen Destament gyda diwedd proffwydoliaeth Malachi. Y mae gofod helaeth rhwng yr adnodau a gwaelod y ddalen. Rhed llinell ar ei

thraws, tua hanner y ffordd i lawr. Yna, ychydig yn is eto, daw'r geiriau, 'TERFYN Y PROPHWYDI'. Y mae yma lawer o ofod i'w lenwi. Dyma a ysgrifennodd Mari Jones:

Ychydig o Desdynau Pregethau
Robert Roberts yn y flwyddyn 1802

Yna, ar ôl 'TERFYN Y PROPHWYDI' gwelir:

Datguddiad	*2 Corind*
Penod fers	*5 Penod 10 ...*

2 - 17
2 - 21
2 - 21
Datgyddiad 2 ben. 28. Ad
Job 7. ben. 1 ad
Dat.d 2 ben. 24. ad.
Habacuc 3 ben 18 ad.
Michael Roberts 119 Psalm 113 ad
Mica 6 ben 8 ad
Jno Elias   Dadd 3 ben 4 ad.

Mynega Lizzie fod Mari wedi datgan 'bu yn Y Bala lawer o weithiau i gael yr ordinhad ar fore Sul, ac mewn Sasiwn'. Dichon ei bod yn Y Bala adeg Sasiwn Mehefin 1802, a'i bod wedi gwrando ar Robert Roberts, Clynnog, (1762-1802), ei nai, sef Michael Roberts, Pwllheli, (1780-1849), a John Elias o Fôn, (1774-1841), neu fod y gwŷr hyn ar eu teithiau drwy Gymru, wedi ymweld ag ardal y Cwrt cyn bod capel yn cael ei adeiladu ynddo yn 1806.[13]

[5] Ychydig iawn o adnodau sydd ar dudalen olaf Yr Apocrypha, a gedy hynny ofod mawr i'w lenwi. Defnyddiodd Mari ef i gofnodi rhai ffeithiau mewn llawysgrifen fras sy'n gwbl allweddol i'r hanes hwn:

> Marry Jones was
> Born 16th of December 1784
> I Bought this in the 16th year
> Of my age I am the Daughter
> Of Jacob Jones, and Mary
> His wife the Lord
> give me grace Amen.
> Mary Jones His the true
> Onour of this Bible
> Bought In the Year
> 1800 Aged 16th

[6] Yr oedd dalen hollol wag gyferbyn â wynebddalen y Testament Newydd. Cofnododd Mari Jones arni fanylion am y pregethau a glywodd yn Sasiwn Y Bala, Mehefin 1803.

> Y chydig o Destyna pregethau 1803 Bala
> Richard Llwyd   Eseia 45. 22
> Mr Hughs   Datgiddiad 22 . 1

---

[13] Daw blwyddyn adeiladu capel y Cwrt o Ieuan Gwynedd Jones (gol.), *The Religious Census of 1851: A Calendar of the Returns relating to Wales*, Cyfrol II (Caerdydd, 1981), t. 262.

Thomas Jones   Hebreid 12 . 22

John Elias   2 Corinthiaid 5 . 20

Mr Evan Richard   Mathew 1.21

John Evans   1 Joan. li . 24

Mr Jones   Diwtronomium 32 . 3

Yn y rhestr hon mae Mari'n enwi saith o bregethwyr yn hytrach na thri fel y clywodd flwyddyn ynghynt. Y ddau enw sy'n absennol yn Sasiwn 1803 yw Robert Roberts a Michael Roberts. Bu farw Robert Roberts 28 o Dachwedd 1802, a dichon fod Michael Roberts, ei nai, newydd dderbyn cyfrifoldeb am gynnal ysgol ym Mhwllheli. Yr oedd pedwar o'r lleill, Richard Lloyd (1771-1834), Biwmares, Thomas Jones (1756-1820), Dinbych, John Elias o Fôn (1774-1841), ac Evan Richard(son) (1759-1824), Caernarfon, ymhlith y brodyr a fyddai'n cael eu hordeinio yn y Bala yn 1811.[14] Yn ychwanegol at Evan Richardson y mae dau o'r pregethwyr yn cael y teitl 'Mr'. Yr arfer yn y blynyddoedd hynny oedd defnyddio'r teitl hwn i ddynodi'r fintai honno o offeiriaid Anglicanaidd a fwriodd eu coelbren gyda'r Methodistiaid. Mae'n siŵr mai'r Parchedig David Jones (1736-1810), Llan-gan: crybwyllwyd yn barod ei fod yn un o ymddiriedolwyr Capel Mawr Y Bala, yw'r enw olaf ar y rhestr. Yr 'Hughes' a enwir oedd y Parchedig John Hughes (1760-1813), Sychbant. Mae'n anodd penderfynu pa 'John Evans' a glywodd Mari, ai John Evans (1723-1817), Y Bala, ynteu John Evans (1777-1847), Llwynffortun. Ar un wedd

---

[14] Mae tri sillafiad i gyfenw'r gŵr hwn: 'Richard', fel sydd yma; 'Richards', fel sydd yn llawysgrif *Hunangofiant John Elias* a gohebiaethau'r cyfnod; a 'Richardson' yn *Y Bywgraffiadur Cymreig* a llyfrau hanes diweddar. Brodor o Sir Aberteifi ydoedd a gafodd addysg dda yn Ysgol Ystrad Meurig. Yr oedd o'r un cyff â Dr Lewis Edwards. Bu'r ysgol a sefydlodd yng Nghaernarfon yn arloesol yn hanes addysg i bregethwyr yng Ngogledd Cymru.'

gellid disgwyl 'Mr' o flaen enw 'yr hen Lwynffortun', er nad ordeiniesid ef yn ddiacon gan Esgob Llandaf hyd 1807.

Mae'r nodyn ar ddiwedd yr Apocryffa yn ateg pwysig i ddilysrwydd yr hanes, er nad yw Mari yn enwi'r Bala yn benodol. Datgelir yn y bennod hon mor bellgyrhaeddol oedd dylanwad gweithgarwch Thomas Charles. Agorwyd ei lygaid, ar un llaw, i'r prinder mawr o Feiblau yng Nghymru, ac ar y llaw arall, i aberth deublyg geneth ifanc fel Mari Jones i ddysgu darllen ac i sicrhau meddiant o'r gyfrol sanctaidd. Mae'n amlwg nad oedd Mari yn ei helfen gyda sillafu na chystrawen yr iaith Saesneg: ateg ychwanegol i bwyslais Thomas Charles ar y famiaith. Cofier mai'r digwyddiad hwn yn Y Bala a blannodd ym meddwl Thomas Charles y syniad o Gymdeithas a fyddai'n diwallu'r angen am Feiblau.

Mae'r rhestrau o enwau pregethwyr blaenllaw yr oes ynghyd â'u testunau a ddiogelodd Mari Jones yn ei Beibl yn rhoi brasolwg o'r cyfoeth pregethau a gafwyd yn Y Bala yn ystod 1802-03, a'r cyfan, wrth gwrs, yn deillio o waith a dylanwad Thomas Charles.

7. Cysgodion Diwedd Oes

Bu bywyd yn galetach i Thomas Charles a'i deulu o tua 1808. Yr oedd ei bwysau gwaith yn affwysol: cynhwysai barhau i ysgrifennu'r *Geiriadur* a golygu *Trysorfa*, heb sôn am ei fuddsoddiad anferth o ran egni meddwl ac amser wrth iddo baratoi argraffiadau o'r Beibl ar gyfer Cymdeithas y Beibl. Yn yr haf byddai yn ei lyfrgell oddeutu pedwar o'r gloch y bore, ond arhosai yn ei wely tan bump yn y gaeaf.

Thomas Charles:
Pererin Cystuddiol

Diau mai'r pwysau mwyaf arno oedd gwaeledd Sali. Oherwydd ei amgylchiadau gartref, methodd Charles â mynd i Sasiwn Llanidloes yn Ebrill 1810, er gwybod fod John Elias a Thomas Jones yn dra awyddus i drafod yr egwyddor o neilltuo rhai o bregethwyr amlycaf y Methodistiaid yn weinidogion cyflawn gydag awdurdod i weinyddu'r sacramentau.[1]

Yng ngwanwyn y flwyddyn honno dioddefodd Sali ergyd o'r parlys, ac yn ôl llythyr at gyfaill ym Mawrth, ysgrifennodd Charles, 'Prin yr wyf yn ei gadael drwy'r dydd.'

Wrth edrych yn ôl mae'n ymddangos y bu 1811 yn drobwynt er gwaeth yn ei hanes. Dyna'r flwyddyn yr aeth rhagddo i drefnu'r ordeinio o fewn Cyfundeb, ac mae'n anodd mesur faint o bwn oedd hynny ar ei ysbryd. A dyma'r amser hefyd, yn ôl ei gyfaill a'i gofiannydd, Thomas Jones, y cafodd ddamwain wrth agor llidiart yn Sir Drefaldwyn:

---

[1] Gweler *Neilltuwch i mi ... Dathlu'r Ordeinio Cyntaf* (Cymdeithasfa'r Gogledd o Eglwys y Methodistiaid Calfinaidd, 2011).

Wedi dyfod at lidiart neu glwyden, efe a ymegnïodd yn ormodol wrth ei hagoryd; a chafodd, yn lled fuan, brofi effeithiau poenus oddiwrth y tro. Wrth deimlo poen yn, neu oddeutu y bledren, yr oedd yn meddwl weithiau fod naws graean, neu garreg, yn peri ei ddolur; ond nid felly yr oedd. Cynyddu wnaeth ei boen a'i afiechyd.[2]

Darlun cymysg sydd yn y llythyrau am gyflwr iechyd Thomas a Sali drwy gydol 1813. Ddiwedd Ebrill gallai ddweud fod y ddau ohonynt mewn iechyd da,[3] ond fis yn ddiweddarach, cydnabu nad oedd cyflwr Sali ond canolig.[4]

Tystia Thomas Jones fod llawer o gyfeillion Charles erbyn 1813 wedi sylwi 'fod ei wedd wedi salwino,[5] a'i lais wedi gwanhau.' Daliai i obeithio ymweld â Llundain yn y gwanwyn, er sylweddoli fod llu o anawsterau, megis pwysau gwaith a gwaeledd difrifol Thomas Rice, ei fab hynaf. Erbyn y daeth yr amser i gychwyn yr oedd Thomas Rice wedi troi at wella,[6] ac felly, fe fentrodd Charles tua'r ddinas fawr. Tra bu yn Llundain y tro hwnnw, ymgynghorodd ag arbenigwr meddygol, Dr Henry Clutterbuck. Y ddedfryd oedd bod Charles yn dioddef o'r clefyd Nephritis, sef llid ar yr aren, ac mai hyn oedd yn effeithio ar ei bledren. Dichon, meddai'r meddyg, fod carreg wedi ffurfio yn yr aren a bod honno wedi disgyn i'r bledren. Credai'r meddyg y dylid, fel cam cyntaf, geisio lleihau'r llid a'r boen gorfforol a ddioddefai, ac fe'i cynghorodd i orffwys llawer, ac yn arbennig i osgoi marchogaeth.[7]

Drwy'r cyfnod hwn yr oedd Sali'n gwanio. Ym mis Hydref

---

[2] *Cofiant*, t. 212.

[3] *LTC*, III, t. 473.

[4] ibid., t. 478.

[5] 'salwino', hagru, edrych yn sâl (*GPC*).

[6] ibid., t. 467.

[7] ibid., t. 486.

cydnabu Charles fod ei wraig yn dioddef o *Vertigo*,[8] ffurf eithafol o benfeddwdod. Erbyn mis Chwefror 1814, ni allai ei gadael i gadw'i gyhoeddiad yng Nghaer. Teimlai fod ei chystuddiau'n dwysáu. Erbyn mis Mawrth yr oedd wedi'i chyfyngu i'r tŷ, ond nid i'w gwely.[9]

Yr Wythnosau Olaf

Ddiwedd mis Gorffennaf 1814, wrth iddo ddychwelyd o'i gyhoeddiad ar gefn ei ferlen, ac yntau tua thair milltir o'r Bala, llewygodd Thomas Charles a syrthio i'r llawr. Fe'i llusgwyd i fwthyn cyfagos, a'i gludo adref mewn cerbyd, a bu'n wirioneddol wael am dair wythnos.[10] Ym mis Awst cyfarfu Thomas Jones, Dinbych, â Charles a'i wraig yn y Fronheulog, ger Llandderfel, cartref John Davies. Dyna pryd y sylweddolodd fod gwaeledd y naill mor ddifrifol â'r llall, ac yn wir, yn dwysáu.[11]

Ond erbyn diwedd Awst teimlai'r ddau yn ddigon da i fynd i Bermo am bythefnos o wyliau ar lan y môr. Dyna pryd y clywodd rhywun ef yn dweud, 'Sali, mae'r pymtheng mlynedd y gweddïodd Richard Owen amdano bron â dod i ben.' O Bermo aeth y ddau i Fachynlleth, ac ar y Sul, y pedwerydd o fis Medi, fe bregethodd Charles am y tro olaf. Ar derfyn oedfa'r hwyr yr oedd mor wan nes cael anhawster i gyrraedd ei lety, cartref Lydia Foulkes, yn wreiddiol o Blas-yn-dre, Y Bala, morwyn briodas Thomas a Sali, a gweddw Thomas Foulkes, tad-gwyn Sali. Gwaelu a wnaeth y dyddiau dilynol,

---

[8] ibid., t. 498.

[9] ibid., t. 514.

[10] Daw'r manylion o lythyr Evan Evans, gynt o Lanrwst. *LTC*, III, tt. 538-39.

[11] J. M. Jones a William Morgan, t. 227.

Lydia Foulkes

eto hiraethai am gael dychwelyd i'r Bala. Ar y degfed o Fedi, fe gafodd ei ddymuniad, ac fe'i hebryngwyd ef adref yng nghwmni Sali a than ofal Mary Foulkes, merch Lydia.

Yn ystod y dyddiau nesaf clywyd Charles yn sibrwd yn aml yr adnod, 'Ac yr oedd Eliseus yn glaf o'r clefyd y bu farw ohono.' Ac ychwanegodd, 'Nid wyf fi yn gwybod pa beth yw bwriad yr Arglwydd i wneuthur â mi; ond yn ei law ef yr wyf, gwnaed â mi fel y byddo da yn ei olwg; yr wyf wedi rhoi fy hun iddo filoedd o weithiau.'

Wyth niwrnod cyn ei farw, trawyd ei forwyn, Margaret Edwards ('Peggy', fel y gelwid hi yn gyffredin), â'r Clefyd Poeth, a bu farw mewn tridiau a'i chladdu yn Llanycil ar y dydd cyntaf o Hydref.[12] I ychwanegu at ofidiau Charles, yr oedd ei fab hynaf, Thomas Rice, unwaith eto yn wael iawn a'i fywyd mewn perygl. Ond pan fynegwyd wrth Charles fod ei fab wedi troi at wella, gorfoleddodd, 'Da iawn yw'r Arglwydd, y mae ei drugaredd yn parhau'n dragywydd.'

Ychydig ddyddiau cyn ei farw aeth Charles unwaith eto dan driniaeth lawfeddygol, a rhybuddiodd y llawfeddyg ef i ymdawelu. Ond meddai wrth un o'i gyfeillion, 'Os bydd i mi wellhau, yr wyf fi yn meddwl y pregethaf fi Grist i bechaduriaid ar ddarfod amdanynt yn fwy dyfal nag erioed o'r blaen.'[13]

Y Dyddiau Olaf

Ddydd Llun, Hydref y trydydd, ag yntau yn Y Bala,

---

12 *LTC*, III, t. 542.

13 *Trysorfa*, Llyfr 3, t. 36.

galwodd Thomas Jones, Dinbych, i edrych am Thomas a Sali, a'u cael wrth y bwrdd ar fin bwyta'u swper. Yr oedd yn dda gan Jones glywed fod Thomas wedi mentro i'r ardd am dro'r prynhawn hwnnw, ac yn dechrau credu y byddai'n gwella unwaith eto. Ymadawodd Thomas Jones i'w lety yn Siop y Gornel, wedi'i lonni'n fawr.

Thomas Jones, Dinbych

Ychydig o gwsg a gafodd Thomas a Sali'r noson honno. Dychwelodd poenau Thomas, a lledaenodd y newyddion o gwmpas y dref ei fod yn gwaelu. Teimlai'n ddigon cryf i godi yn ystod y dydd, sef dydd Mawrth, a cherdded ar draws yr ystafell i'w gadair, ond yno clywyd ef yn adrodd yr adnod, 'Yr awr hon, Arglwydd, y gollyngi dy was mewn tangnefedd, yn ôl dy air: canys fy llygaid a welsant dy iachawdwriaeth.'

Tua hanner awr wedi pump bore trannoeth, dydd Mercher, deffrodd Charles a chwyno ei fod yn teimlo'n oer a chrynedig. Anfonwyd am y meddyg, ond sylweddolai pawb fod angau'n agos. Yn dawel ac yn ddigynnwrf, tua deg o'r gloch y bore hwnnw, y pumed o Hydref 1814, bu farw Thomas Charles yn ei gartref yn Y Bala, ychydig ddyddiau cyn bod yn bum deg naw mlwydd oed.

Y dydd Gwener canlynol, y seithfed o Hydref, daeth tyrfa enfawr i'w angladd. Dechreuwyd y gwasanaeth yn y tŷ gan y Parchedig John Roberts (1753-1834), Llangwm, y gŵr a enwebwyd gan Gyfarfod Misol Sir Feirionnydd i'w ordeinio yn 1811, a phregethwyd gan ei gyfaill mynwesol, y Parchedig Thomas Jones, un arall a ordeiniwyd yn y fintai gyntaf. Mynnai

John Roberts, Llangwm

Thomas Jones fod gan Gymru gyfan le i wylo ar yr achlysur. Gweddïai Charles lawer dros ei deulu, meddai Jones, a thros dref Y Bala. Pwysai annuwioldeb y dref ar ei ysbryd. Bu marw Thomas Charles yn golled nid yn unig i'r Bala, ond i Gymru, i Brydain, ac i'r byd.

Wrth i'r angladd deithio i Lanycil, prin fod un llygad sych ymhlith y dorf. Canwyd emynau addas, ond cyfran fechan o'r dorf a gafodd le y tu mewn i'r eglwys. Gwasanaethwyd gan y curad, y Parchedig Humphrey Lloyd (1764-1844). Canwyd anthem, ac ar lan y bedd, canwyd emyn. Dair wythnos yn ddiweddarach, dychwelodd y teulu i Lanycil i angladd Sali.

Gwaddol

Er cymaint torf oedd yn Llanycil ddydd angladd Thomas Charles, prin iawn oedd ei berthnasau o waed. Bu farw Sarah, merch Thomas a Sali, yn flwydd oed yn 1787, ac felly, y ddau fab, Thomas Rice Charles (1785-1819) a David Charles (1793-1821) a'u teuluoedd a adawyd i alaru ar ôl y ddeuddyn. Ganwyd pump o blant i Thomas Rice a'i wraig Maria, sef Sarah, Maria, Thomas, David, a Jane.

David Charles,
Prifathro Trefeca

Aeth y David Charles (1812-78) hwn i Rydychen i ymbaratoi ar gyfer urddau yn yr Eglwys Anglicanaidd, ond ar ôl graddio, dychwelodd at y Methodistiaid Calfinaidd, ac ar ôl cyfnod byr yn y Bala, bu'n

Brifathro Coleg Trefeca am ugain mlynedd.

Merch ieuengaf Thomas Rice Charles oedd Jane. Enynnodd hi sylw'r pregethwr ifanc disglair, Lewis Edwards (1809-1887) mor gynnar â dechrau tridegau'r ganrif. Ymwelodd Edwards â'r Bala yn ystod haf 1835, ac arweiniodd hyn at eu priodas ddiwedd Rhagfyr 1836. Yn y flwyddyn newydd sefydlodd Lewis Edwards 'Ysgol', mewn partneriaeth â David Charles, ei frawd yng nghyfraith, i hyfforddi gwŷr ieuainc ar gyfer y weinidogaeth.

Lewis Edwards, Prifathro'r Bala

Bu Lewis Edwards yn Brifathro Coleg y Methodistiaid yn Y Bala am hanner can mlynedd. Mae'n anodd meddwl am yr un cymeriad arall ymhlith ei gyfoeswyr a wnaeth gymaint o gyfraniad i fywyd y genedl yn ddiwinyddol ac yn llenyddol, er y mynegir peth anesmwythyd bellach am ben draw oblygiadau'r *'instruction ... in the Classics, Mathematics, and other branches of a liberal education.'*[14]

Dilynwyd Lewis Edwards gan ei fab hynaf, Dr Thomas Charles Edwards (1837-1900). Ar ôl gyrfa eithriadol o ddisglair yn Rhydychen a dylanwad Diwygiad 1859, bu'n gweinidogaethu yn Lerpwl.

Thomas Charles Edwards

[14] Geiriad yr hysbysiad cyntaf o fwriad Lewis Edwards a David Charles gyda golwg ar yr Ysgol a droes wedyn yn 'Athrofa'. Dyfynnir gan Geoffrey Thomas, 'Rhai Agweddau ar y Dirywiad Diwinyddol Cymreig', yn E. Wyn James (gol.), *Cwmwl o Dystion* (Abertawe, 1977), t. 115.

Ysgrifennai'n helaeth, ac yn 1872 daeth yn Brifathro cyntaf Coleg Prifysgol Cymru, Aberystwyth. Gadawodd y swydd hon er mwyn dilyn ei dad yn Brifathro Coleg y Bala. Addrefnodd lawer ar y coleg, gan ei wneud yn Goleg Diwinyddol yn unig. Gwanychodd ei iechyd, a bu farw yn 1900.

David Charles Edwards

Gweinidog cyflogedig cyntaf Capel Tegid oedd mab ieuengaf Lewis Edwards, y Parchedig David Charles Edwards (1851-1916), ac felly'n frawd i Thomas Charles Edwards. Yr oedd yntau'n ŵr graddedig o Rydychen, (Coleg Balliol). Estynnwyd galwad iddo yn 1879 gan Gapel Mawr Y Bala, a chydsyniodd yntau, diau o dan rywfaint o bwysau gan ei dad. Yr oedd hon yn ofalaeth anodd i ddyn ifanc, gyda thua hanner cant o bregethwyr eraill yn aelodau, ond ni allai feddwl am adael y dref tra'r oedd ei dad yn fyw. Yn fuan ar ôl claddu Lewis Edwards yn 1887, symudodd David Charles Edwards i eglwys Saesneg ym Merthyr Tudful, cyn derbyn y swydd o gynrychiolydd Cymdeithas y Beibl yng Ngogledd Cymru.

Crynhoi

Â Thomas Charles newydd gyrraedd Y Bala, cydnabu Daniel Rowland ei fawredd gyda'r datganiad enwog mai ef oedd rhodd Duw i ogledd Cymru. Tua thrigain mlynedd ar ôl ei gladdu, rhoes Dr Owen Thomas, Lerpwl, ei deyrnged iddo gan ddweud ei fod yn rhagori ar ei holl frodyr mewn dysgeidiaeth gyffredinol ac ysgrythurol, yn ogystal ag yn ei allu i ddeall anghenion ei oes, a'u diwallu. Yn y Sasiwn, meddai Owen Thomas, yr oedd Charles fel diwinydd yn athro ymhlith athrawon; ac, er nad ystyrid ef yn bregethwr 'mawr', fel John Elias neu John Jones, Tal-y-sarn, yr oedd ganddo ddull enillgar. Â rhagddo i nodi rhai oedfeuon tra effeithiol dan weinidogaeth Charles yn ardal Dinas, Llŷn, yn y Bontuchel yn Sir Ddinbych, ac yn Sasiynau Pwllheli ac Aberystwyth, oedfeuon y bu gorfoleddu mawr ynddynt, a nerth yr Ysbryd Glân yn cydredeg â geiriau'r pregethwr.[15]

*** *** *** *** *** *** *** ***

Ddwy ganrif ar ôl ei farw, sut mae ceisio crynhoi cyfraniad Thomas Charles i fywyd Y Bala, bywyd Penllyn, bywyd Cymru, a bywyd y byd?

1. Yr allwedd i'w holl fywyd a'i wasanaeth yw'r hyn a ddigwyddodd iddo yn Llangeitho dan weinidogaeth Daniel Rowland, pan ddaeth i brofiad byw o'r efengyl. Nid oes gwella ar ddatganiad y Parchedig J. E. Wynne Davies ar y pwnc hwn, 'Plentyn y Diwygiad oedd Thomas Charles a heb y tro mawr hwnnw yn ei hanes ni fyddai unrhyw sôn amdano.'[16]

2. Yn ystod ei gyfnod yn Rhydychen daeth yn gyfeillgar â nifer o glerigwyr Anglicanaidd efengylaidd eu diwinyddiaeth, yr un pwyslais ag a gynrychiolid yng Nghymru gan Griffith Jones, Williams Pantycelyn a Daniel Rowland.

---

[15] *Cofiant y Parchedig John Jones, Talsarn* (Wrecsam, d.d., [tua 1874]), t. 939-40.

[16] *CH*, 38, (2014), 'Darlith Goffa'r Diwygiad: 2014, Thomas Charles (1755-1814)', t. 59.

3. Ar ôl ymsefydlu yn Y Bala (dan gyfaredd Sali) a dod yn un o bregethwyr teithiol y Methodistiaid, canfu, ar y naill law, anwybodaeth y trigolion am hanfodion yr efengyl, ac ar y llaw arall, newyn a syched gwerin Penllyn am addysg. Cyfarfu â'r angen deublyg drwy sefydlu'r Ysgolion Cylchynol i ddechrau, a'r Ysgolion Sul wedyn.

4. Cynnyrch yr ysgolion hyn oedd Mari Jones, a'i thaith hi i'r Bala a ysbrydolodd Charles i awgrymu y dylid sefydlu Cymdeithas y Beibl.

5. O'i lafur addysgol y tarddodd ei ysgrifeniadau, gweithiau y byddai'n dda i'n cenhedlaeth ni ymgydnabod â hwynt.

6. Sefydlodd linach ddisglair, a bu ei ddisgynyddion yn fawr eu cyfraniad i fywyd academaidd a chrefyddol Cymru a thu hwnt.

*** *** *** *** *** *** ***

Mae'n briodol rhoi'r gair olaf i Thomas Charles:[17]

Hyder Pererin Cystuddiol

> Dyfais fawr tragwyddol gariad
>   Ydyw'r iachawdwriaeth lawn:
> Cyfamod hedd yw 'i sylfaen gadarn,
>   'R hwn na dderfydd byth mo'i ddawn.
> Dyma'r fan y gorffwys f'enaid,
>   Dyma'r fan y byddaf fyw,
> Mewn tangnefedd pur heddychol,
>   'Mhob ryw stormydd gyda'm Duw.

---

[17] *Hymnau o Fawl i Dduw ac i'r Oen* (Bala, 1808), Hymn 65, t. 47. Diweddarwyd yr orgraff a'r atalnodi.

Syfled iechyd, syfled bywyd,
    Cnawd a chalon yn gytûn,
Byth ni syfl cyfamod heddwch,
    Hen gytundeb TRI yn UN.
Dianwadal yw'r addewid,
    Cadarn byth yw cyngor Duw;
Cysur cryf sy i'r neb a gredo
    Yn haeddiant Iesu i gael byw.

Bûm yn wyneb pob gorchymyn,
    Bûm yn wyneb angau glas:
Gwelais Iesu ar Galfaria
    Yn gwbl wedi cario'r maes.
Mewn cystuddiau 'rwyf yn dawel,
    Y fuddugoliaeth sydd o'm tu:
Nid oes elyn wna im niwed,
    Mae'r ffordd yn rhydd i'r nefoedd fry.

Pethau chwerwon sydd yn felys,
    A'r t'wyllwch sydd yn olau clir;
Mae 'nghystuddiau imi'n fuddiol,
    Ond darfyddant cyn bo hir.
Cyfamod hedd bereiddia'r cwbwl,
    Cyfamod hedd a'm cwyd i'r lan
I gael gweld fy etifeddiaeth,
    A'i meddiannu yn y man.

Gwelais 'chydig o'r ardaloedd
    'R ochor draw i angau a'r bedd.
Synnodd f'enaid yn yr olwg,
    Teimlais annherfynol hedd.

Iesu brynodd imi'r cwbwl,
　　Gwnaeth â'i waed anfeidrol iawn:
Dyma rym fy enaid euog
　　A fy nghysur dwyfol llawn.

Wedi cefnu pob ryw stormydd,
　　A'r tonnau mawrion oll ynghyd,
Tybiais fy mod yn y porthladd
　　Tu draw i holl ofidiau'r byd;
'O! Fy Nhad,' medd f'enaid egwan,
　　'A gaf fi ddyfod i dy gôl,
A chanu'n iach i bob ryw bechod,
　　A'm cystuddiau i gyd ar ôl?'

'Ust, fy mhlentyn, taw, distawa!
　　Gwybydd di mai fi sydd Dduw;
Ymdawela yn fy ewyllys,
　　Cred i'm gofal tra fo'ch byw.
Os rhaid ymladd â gelynion,
　　Fi, dy nerth, fydd o dy blaid;
Er gwanned wyt, cei rym i sefyll,
　　A fi yn gymorth wrth bob rhaid.'

Bodlon ddigon, doed a ddelo,
　　Ond dy gael di imi'n Dduw:
Rhoist dy fab i brynu 'mywyd
　　Trwy ddioddef marwol friw.
Mi lecha'n dawel yn ei gysgod,
　　Yng nghysgod haeddiant dwyfol glwy';
Darfyddaf oll ag oll sydd isod,
　　Ac ymhyfrydaf ynot mwy.

Edrych 'rwyf, a hynny beunydd,
  Ac yn hiraethu am yr awr,
Pan y derfydd im â phechod,
  Ac y caf roi 'meichiau i lawr;
Y caf ddihuno ar dy ddelw,
  Pan gaf weld dy wyneb gwiw,
Pan gaf foli byth heb dewi,
  A bod yn debyg i fy Nuw.

Fy natur egwan sydd yn soddi
  Wrth deimlo prawf o'th ddwyfol hedd;
Ac yn boddi gan ryfeddod
  Wrth edrych 'chydig ar dy wedd;
O! am gorff a hwnnw'n rymus
  I oddef pwys gogoniant Duw,
Ac i'w foli byth heb dewi,
  A chydag ef dragwyddol fyw.

Atodiad 1

Seiadwyr Penllyn

Ar ddiwedd ei drydedd cyfrol cyhoeddodd Dr D. E. Jenkins[1] ei drawsgrifiad o restrau Thomas Charles o gyfraniadau aelodau seiadau Penllyn at gynnal ei Ysgolion Cylchynol. Yn nhrefn y Seiadau yr ymddangosant gan Charles, ond yma, er hwylustod i'r sawl a fynn chwilio am enwau penodol, rhoddir hwy yn nhrefn y wyddor gan ddechrau â'r cyfenw. Cynhwysir unrhyw fanylion a roddir amdanynt, megis Preswylfod/Disgrifiad neu alwedigaeth, ynghyd â'r seiat y perthynent iddi, eithr hepgorwyd eu cyfraniad ariannol. Mae italeiddio cyfenw yn dynodi na nodir ef yn y rhestrau, ond mewnddodwyd enw'r gŵr neu'r tad. Mae seren (*) yn arwyddo ychwanegiadau Thomas Rice Charles. Yn amlach na pheidio, ffurfiau tafodieithol a ysgrifennodd Charles, ond yma ceisiwyd eu safoni. Ni ellir bod yn gwbl sicr nad enwir yr un person fwy nag unwaith.

Enw	Preswylfod/ Disgrifiad	Seiat
Cadwaladr, Betty	Rhydyrefail	Cwm Glan Llafar
Cadwaladr, Catherine		Sarnau
Cadwaladr, Dafydd	[Pen-rhiw]	Bala
Cadwaladr, Dorty		Waun
Cadwaladr, El[in]?	Dôl y Tyddyn	Bala
Cadwaladr, Elin	Rhiwaedog	Trerhiwaedog
Cadwaladr, Elin		Waun
Cadwaladr, Gwen	Bryn-gwyn	Glyn
Cadwaladr, Gwen		Bala
Cadwaladr, Jane	Maesfedw	Penmaen
Cadwaladr, John		Sarnau
Cadwaladr, Mary		Bala
Cadwaladr, Maurice	Penrallt	Pandy

---

[1] *LTC*, III, tt. 627-32.

Enw	Preswylfod/ Disgrifiad	Seiat
Charles, Sarah		Bala
Charles, Thomas		Bala
Charles, Thomas Rice		Bala
Charles, William		Trerhiwaedog
David, Ann	gwraig Robert Thomas	Sarnau
David, Betty		Waun
David, Daniel		Trerhiwaedog
David, David	Alltrugog	Trerhiwaedog
Davis, Ellis	Brynbannon	Bala
David, Evan	Rhosygwaliau	Trerhiwaedog
David, Hugh		Cwm Glan Llafar
David, Hugh		Llandderfel
David, Jane	Bwlch	Trerhiwaedog
David, Jane		Trerhiwaedog
David, John	Llandderfel	Llandderfel
David, John		Trerhiwaedog
David, John	Tan-y-garth, *Taylor*	Trerhiwaedog
David, Lewis*	*Mason*	Trerhiwaedog
David, Margaret	gwraig Thomas David	Bala
David, Margaret*	gwraig Edward Jones y crydd	Bala
David, Rebecca	gwraig Peter Jones	Glyn/Bala
David, Richard		Waun
David, Siani	gwraig Peter Jones, Gilrhos	Bala
David, Siani	Pentre	Pandy
David, Sidney		Trerhiwaedog
David, Thomas		Penbryn
David, Thomas*	Tŷ-nant	Pandy
Davies, Alce	gwraig Ellis Davies,	Bala
Davies, Ann	Tŷ Newydd	Pandy
Davies, Ann*		Bala

Enw	Preswylfod/ Disgrifiad	Seiat
Davies, Betty	merch David Morris	Bala
Davies, David		Penbryn
Davies, Gabriel		Bala
Davies, Hugh	*Doctor*	Bala
Davies, John	*Saddler*	Bala
Davies, Margaret	Tŷ Newydd	Pandy
Davies, Nansy	gwraig Gabriel Davies	Bala
Davies, Rowland*	*Shoe Maker*	Bala
Edmund, Mary	merch John Edmund	Bala
Edmund, Mary	Maesafallen	Trerhiwaedog
Edward Betty	merch H. Edward	Bala
Edward, David		Bala
Edward, Elizabeth	Rhydfudr	Glyn
Edward, Grace		Llandderfel
Edward, Grace		Waun
Edward, Hugh	Nantycyrtiau	Pandy
Edward, Humphrey		Bala
Edward, John		Penbryn
Edward, John	Llechwedd-ddu	Glyn
Edward, Magdalen		Pandy
Edward, Mary		Penbryn
Edward, Richard		Bala
Edward, Robert	Tyn-bryn	Llandderfel
Edward, Thomas		Waun
Edward, William	Murddun Mared	Glyn
Edwards, Catherine*	morwyn Tŷ Isaf	Trerhiwaedog
Edwards, Evan*	Rhiwaedog	Trerhiwaedog
Edwards, Grace		Sarnau
Edwards, Hannah		Bala
Edwards, Lewis	Cae'r Crydd	Trerhiwaedog

Enw	Preswylfod/ Disgrifiad	Seiat
Ellis, Catherine	Llanycil	Bala
Ellis, Hugh	Tyn-twll	Glyn
Ellis, Jane	morwyn Thomas a Sali Charles	Bala
Ellis, John	Hysbysfa	Bala
Ellis, Lowri	Fronfeuno	Bala
Ellis, Maurice		Pandy
Ellis, Nelly	Llanfor	Bala
Evan, Betty*	Penmaen	Penmaen/Bala
Evan, Catherine	Gwernbusaig	Cwm Glan Llafar
Evan, Ellis		Bala
Evan, Hannah*	merch Evan Edward	Bala
Evan, Jane	Glanrafon	Penbryn
Evan, Jane		Trerhiwaedog
Evan, Jane	Tyddyn Barwn	Llandderfel
Evan, John		Penbryn
Evan, Lewis	Berthlafar	Trerhiwaedog
Evan, Peggy	Twll-y-mwg	Bala
Evan, Rebecca	merch Evan H:	Bala
Evan, Thomas	Tŷ-hen	Sarnau
Evans, David		Trerhiwaedog
Evans, Edward	*Taylor*	Bala
Evans, Elin	Pentre	Pandy
Evans, Enoch	un o feibion John Evans	Bala
Evans, Evan	Cross Street, *Shopkeeper*	Bala
Evans, Evan	Llechwedd-ddu	Glyn
Evans, Gwen	gwraig Thomas Rowland	Bala
Evans, Hugh		Sarnau
Evans, Jane	gwraig Robert Evans, Cornelau	Bala
Evans, Jane	morwyn yr Onnen	Bala
Evans, John	un o feibion John Evans	Bala

Enw	Preswylfod/ Disgrifiad	Seiat
Evans, John	yr hynaf	Bala
Evans, John	Garnedd	Trerhiwaedog
Evans, Lowri	Tyn-cefn	Sarnau
Evans, Margaret	*Shopkeeper*	Bala
Evans, Margaret		Penmaen
Evans, Margaret*	Aberddwyafon	Trerhiwaedog
Evans, Mary	Tŷ-nant	Sarnau
Evans, Morris	Fedwarian	Bala
Evans, Robert	Cornelau	Bala/Glyn
Evans, William	un o feibion John Evans	Bala
Evans, William	Fedwarian	Bala
Foulk, John		Sarnau
Francis, Catherine*		Bala
Griffith, Gwen	gweddw John Moses	Bala
Griffith, Jane	gwraig John Griffith, gwehydd	Bala
Griffith, Jane	Plas Madog	Cwm Glan Llafar
Griffith, John	*Weaver*	Bala
Griffiths, Robert		Bala
Griffiths, Mr	*Exciseman*	Bala
H., Jane	gwraig Ed	Bala
Hugh, Alce	Tŷ Newydd	Pandy
Hugh, Betty	Sarnau	Sarnau
Hugh, Cadi		Penbryn
Hugh, Cadwaladr	Gwerndyfrgi[?]	Waun
Hugh, Catherine	Ceunant	Waun
Hugh, Edward	Nantycyrtiau	Pandy
Hugh, Elin	Tre Benmaen	Bala
Hugh, Gwen		Waun
Hugh, Jane		Waun
Hugh, John		Penbryn

Enw	Preswylfod/ Disgrifiad	Seiat
Hugh, Margaret	Ceunant	Waun
Hugh, Mary	merch Hugh y Post	Bala
Hugh, Peggy		Bala
Hugh, Sarah	gwraig John Robert, Tŷ Cerrig	Penbryn
Hugh, Thomas		Waun
Hughes, Alce	Maes Mathew	Cwm Glan Llafar
Hughes, Bob	*Shopkeeper*	Bala
Hughes, David		Bala
Hughes, Griffith	Pen-cae	Pandy
Hughes, Hugh*	Tan-y-garth	Trerhiwaedog
Hughes, Margaret	Tyn-rhos	Cwm Glan Llafar
Hughes, Margaret*		Penmaen
Hughes, Owen		Penbryn
Hughes, Peggy	merch H[ugh] Post	Bala
Hughes, Richard	Llanfor	Bala
Hughes, Sioned		Sarnau
Humphrey, Betty	Dôlgarnedd	Sarnau
Humphrey, Catherine	Tŷ-hen	Sarnau
Humphrey, Thomas		Waun
Humphreys, Anne		Waun
Isaac, John	mab Thomas Isaac	Bala
J[o]n[es], Jn David		Bala
Jarrot, Nelly*		Penmaen
Jones, Abram		Waun
Jones, Alce	gwraig John Evan	Penbryn
Jones, Ann		Llandderfel
Jones, Ann	Ceunant	Glan Llafar
Jones, Anne		Cwm Glan Llafar
Jones, Betty	chwaer Margaret Evans	Bala
Jones, Betty	gwraig William Jones, y Gof	Bala

Enw	Preswylfod/ Disgrifiad	Seiat
Jones, Betty	morwyn John Evans	Bala
Jones, Betty	Penmaen	Bala
Jones, Betty	Tŷ-du	Cwm Glan Llafar
Jones, Betty	Tyn-bryn	Llandderfel
Jones, Betty		Sarnau
Jones, Betty	*Glover*	Bala
Jones, Betty	Penbryn	Penbryn
Jones, Cadi	morwyn Thomas a Sali Charles	Bala
Jones, Cadwaladr	*Taylor*	Llandderfel
Jones, Cadwaladr		Sarnau
Jones, Catherine	John Jones, Pentre	Sarnau
Jones, Catherine*	gwraig Robert Jones, Tai-draw	Bala/Penmaen
Jones, Catherine	Tŷ Cerrig	Cwm Glan Llafar
Jones, David	Garnedd	Trerhiwaedog
Jones, David	gwas Tŷ-tan-dderwen	Trerhiwaedog
Jones, David	Penmaen, gwas	Bala
Jones, David		Trerhiwaedog
Jones, David*	Llwyn-ci	Bala/Penmaen
Jones, Edward	*Shoemaker*	Bala
Jones, Elizabeth	Rhydfudr	Glyn
Jones, Ellis	Pengeulan	Bala
Jones, Evan	*Weaver*	Bala
Jones, Evan	Weirglodd-goch	Pandy
Jones, Evan		Bala
Jones, Evan*	Crynierth	Sarnau
Jones, Grace	*Seamster*	Bala
Jones, Gwen	Garnedd	Trerhiwaedog
Jones, Gwen	gwraig Huw David	Cwm Glan Llafar
Jones, Gwen	gwraig John Evans, yr ieuengaf	Bala
Jones, Hugh	Post	Bala

Enw	Preswylfod/ Disgrifiad	Seiat
Jones, Hugh		Waun
Jones, Jane	Bach-glas (*late of*)	Bala
Jones, Jane	Erwstenyn	Trerhiwaedog
Jones, Jane		Penbryn
Jones, Jane	Tŷ-tan-dderwen	Trerhiwaedog
Jones, Jenny	Penmaen	Bala
Jones, John	gwas yn y Plas	Bala
Jones, John	gweithiwr Griffith Davies	Bala
Jones, John	Pentre	Sarnau
Jones, John	Tŷ-tan-y-graig	Bala
Jones, John	Penmaen	Bala
Jones, John*	gwas Tŷ Isaf	Trerhiwaedog
Jones, Lewis	*Weaver*	Bala
Jones, Lowri	gwraig David Jones, Llwyn-ci	Bala
Jones, Lowri	Pentre	Sarnau
Jones, Lowri	gwraig Hugh Jones, Post	Bala
Jones, Lowri	Hugh Jones y Post	Bala
Jones, Lowri*	gwraig David Jones, Llwyn-ci	Penmaen/Bala
Jones, Margaret	gwraig weddw	Bala
Jones, Margaret	*our friend*	Bala
Jones, Margaret		Trerhiwaedog
Jones, Margaret	Tŷ Newydd	Sarnau
Jones, Mary	Cwmhesgin	Pandy
Jones, Mary	gwraig Evan Jones	Bala
Jones, Mary	gwraig Hugh	Sarnau
Jones, Mary	gwraig Evan Jones	Bala
Jones, Mary	Tŷ Cerrig	Cwm Glan Llafar
Jones, Nansy	morwyn Mr Lancaster	Bala
Jones, Nansy		Bala
Jones, Nelly	merch Siôn y Gof	Bala

Enw	Preswylfod/ Disgrifiad	Seiat
Jones, Peter		Glyn
Jones, Peter	Gilrhos	Bala
Jones, Robert	Brynhynod	Bala/Glyn
Jones, Robert	*Dealer in old clothes*	Bala
Jones, Robert	Nantyreithin	Llandderfel
Jones, Robert	Tai'r Felin	Pandy
Jones, Robert*		Llandderfel
Jones, Robert*	Tai-draw	Bala/Penmaen
Jones, Sally	merch William Jones	Bala
Jones, Sally		Bala
Jones, Sarah	gwraig William Jones, Fedw-lwyd	Bala
Jones, Sidney	Tŷ-tan-y-graig	Trerhiwaedog
Jones, Susannah	merch William Jones	Bala
Jones, Thomas	Pantyceubren	Glyn
Jones, William	Fedw-lwyd	Bala
Jones, William	Tŷ-tan-y-graig	Trerhiwaedog
Jones, William		Bala
Jones, William	Hafne	Llandderfel
Jones, William	Pantyreithin	Trerhiwaedog
Lewis, David		Llandderfel
Lewis, Elinor*	Llechwedd-ddu	Glyn
Lewis, Evan	with Edward *Shoemaker*	Bala
Lewis, Jane	gwraig Robert Evans, Cornelau	Glyn
Lewis, Margaret	morwyn Ed Lewis, *Shoemaker*	Bala
Lloyd, Catherine	gwraig Robert Owen	Waun
Lloyd, Elizabeth	chwaer John Lloyd	Waun
Lloyd, Evan	mab Ellis Lloyd	Bala
Lloyd, Hugh	Tal-y-bont	Waun
Lloyd, Jane	*next house*	Bala
Lloyd, John		Waun

Enw	Preswylfod/ Disgrifiad	Seiat
Lloyd, Lowri		Trerhiwaedog
Lloyd, Mary	gwraig Robert Owen, Tyn-coed	Glyn
Lloyd, Miss Cor:		Bala
Lloyd, Miss		Bala
Lloyd, Mrs	[Bridget, Plas-yn-dre]	Bala
Lloyd, Robert	*Weaver*	Bala
Lloyd, William		Waun
Llywelyn, Catherine		Pandy
Lumley, Hugh	gwasanaethwr Thomas Charles	Bala
Mark, Catherine		Llandderfel
Mathews, Bethan Richard		Trerhiwaedog
Meredith, Evan		Pandy
Meredith, Jane*		Pandy
Meredith, Janes		Bala
Morgan, William	Glyn	Glyn
Morris, Cadwaladr		Cwm Glan Llafar
Morris, Margaret Thomas		Bala
Morris, Margaret		Bala
Nelson, Jane		Bala
Owen, Cadi	morwyn Peggy Rowland, Graienyn	Bala
Owen, Cadi	*blind*	Bala
Owen, Catherine	merch John Owen	Llandderfel
Owen, Elizabeth	merch John Owen	Llandderfel
Owen, Harri		Trerhiwaedog
Owen, Jane	gwraig John y Gof	Bala
Owen, John		Llandderfel
Owen, Nansy	gwraig Richard Owen, *Shoemaker*	Bala
Owen, Owen	mab John Owen	Llandderfel
Owen, Richard	gwas Thomas a Sali Charles	Bala
Owen, Richard	*Shoemaker*	Bala

Enw	Preswylfod/ Disgrifiad	Seiat
Owen, Robert	Tyn-coed	Glyn
Owen, Sally	merch Richard Owen	Bala
Owen, Sarah	Rhydlechog	Pandy
Owens, Evan	*Currier*	Bala
Owens, Gwen		Bala
Owens, Jane	gwraig Evan Owens, *Currier*	Bala
Owens, Margaret		Cwm Glan Llafar
Owens, Nancy		Bala
Owens, Peggws		Bala
Owens, Sally		Bala
Owens, Thomas	*Cooper*	Bala
Parry, John	*Shoemaker*	Bala
Powel, Nelly	gwraig Robert Powell	Bala
Powel, Robert*	Llanfor	Bal*Penmaen
Powel, Sarah	morwyn Cornelau	Glyn
Pugh, Ann	Tyddyn Pren	Bala
Pugh, Daniel		Cwm Glan Llafar
Pugh, Hugh	ieuengaf,	Cwm Glan Llafar
Pugh, Jane		Cwm Glan Llafar
Pugh, Mary		Cwm Glan Llafar
Rees, Betty	Tan-y-graig	Llandderfel
Rees, Cadi	Llanfor	Bala
Rees, Catherine	Llanfor	Bala
Rees, Gwen	gwraig Richard Rees	Bala
Rees, John*	Argoed	Cwm Glan Llafar
Rees, Margaret		Llandderfel
Rees, Richard		Bala
Rheinallt, Nelly		Cwm Glan Llafar
Richard, Cadwaladr		Cwm Glan Llafar
Richard, Catherine	gwraig Wm Edward, Murddun Mared	Glyn

Enw	Preswylfod/ Disgrifiad	Seiat
Richard, Gwen		Penbryn
Richard, Margaret		Bala
Richard, Robert		Sarnau
Richard, William	Bryniau	Cwm Glan Llafar
Robert, Hugh	Tyn-pant	Penbryn
Robert, Betty	merch Betty Ellis	Bala
Robert, Betty	Nantyreithin	Trerhiwaedog
Robert, Betty	Penmaen	Penmaen
Robert, Betty	Tynddôl	Cwm Glan Llafar
Robert, Betty	gwraig Edward Robert, *Taylor*	Bala
Robert, Cadi	merch Siôn Rowland	Bala
Robert, Cadi		Bala
Robert, Catherine	Maesfedw	Bala
Robert, Catherine	Tŷ Cerrig	Cwm Glan Llafar
Robert, Catherine		Bala
Robert, Catherine		Trerhiwaedog
Robert, David		Trerhiwaedog
Robert, David	Cwmtylo	Cwm Glan Llafar
Robert, Edward	Gwernbusaig	Cwm Glan Llafar
Robert, Edward	*Taylor*	Bala
Robert, Edward		Llandderfel
Robert, Elin	gwraig Edward Thomas	Waun
Robert, Elin	Hafodwen	Penbryn
Robert, Ellis	Hendre-du	Bala
Robert, Ellis		Trerhiwaedog
Robert, Evan	Maesfedw	Penmaen
Robert, G	Llanfor	Bala
Robert, Humphrey	gwas Mr Jones	Bala
Robert, Humphrey		Penbryn
Robert, Jane	Bedwidog	Pandy

Enw	Preswylfod/ Disgrifiad	Seiat
Robert, Jane	Cornelau	Glyn
Robert, Jane	gwraig Hugh Jones	Waun
Robert, Jane	gwraig Robert Evans, Cornelau	Glyn
Robert, Jane		Bala
Robert, Jane		Penbryn
Robert, Jane		Trerhiwaedog
Robert, John	*Cowman*	Bala
Robert, John	Dôl-wen	Trerhiwaedog
Robert, John	Tŷ Cerrig	Penbryn
Robert, John		Pandy
Robert, Judith	Bala	Bala
Robert, Margaret	Cornelau	Glyn
Robert, Margaret	morwyn John David	Trerhiwaedog
Robert, Margaret	morwyn John Evans	Bala
Robert, Margaret		Penbryn
Robert, Mary	Dôl-fawr	Penbryn
Robert, Nanny	gwraig Griffith Hughes, Pen-cae	Pandy
Robert, Nelly	morwyn Hendre-du	Bala
Robert, Nelly	Fronfeuno	Bala
Robert, Owen		Waun
Robert, Peter	Llan	Llandderfel
Robert, Sarah	Llechwedd Ystrad	Glyn
Robert, Susanna	Crynierth	Sarnau
Robert, Thomas		Llandderfel
Robert, Thomas		Sarnau
Robert, Thomas	Cwmtylo	Cwm Glan Llafar
Robert, William	Plas Madog	Cwm Glan Llafar
Roberts, Ann		Penbryn
Roberts, Betty*		Bala
Roberts, Catherine		Waun

Enw	Preswylfod/ Disgrifiad	Seiat
Roberts, Grace	gwraig Thomas David	Penbryn
Roberts, Humphrey*	Hendre-du	Bala
Roberts, Jane		Bala
Roberts, John	Penrhydgaled	Penmaen
Roberts, John	Ton Tai-draw	Bala
Roberts, John	*Shopkeeper*	Bala
Roberts, Margaret	Llidiart-y-groes	Sarnau
Roberts, Margaret*	morwyn John Evans	Bala
Roberts, Robert	Hendre-du	Bala
Roberts, Robert		Trerhiwaedog
Roberts, Robert	Tomencastell	Sarnau
Roderick, Nansy		Bala
Rowland, Betty	*Glover*	Bala
Rowland, Betty		Waun
Rowland, Cadi	morwyn Thomas a Sali Charles	Bala
Rowland, Catherine	gwraig Hugh Ellis, Tyn-twll,	Glyn
Rowland, Edward	Madog	Glyn
Rowland, Elin		Waun
Rowland, Elizabeth	Pandy Isaf	Trerhiwaedog
Rowland, Nansy	Ceunant	Cwm Glan Llafar
Rowland, Peggy	*Trumpeter*	Bala
Rowland, Peggy	Graienyn	Bala
Samuel, Margaret		Waun
Siôn, Barbara	gwraig Owen Siôn, Pant-saer	Glyn
Siôn, Catherine		Penbryn
Siôn, Catherine	morwyn Tŷ-tan-y-graig	Trerhiwaedog
Siôn, Elin	Tan-y-rhiw	Bala
Siôn, Evan		Penbryn
Siôn, Humphrey		Trerhiwaedog
Siôn, Jane	Cwmtylo	Cwm Glan Llafar

Enw	Preswylfod/ Disgrifiad	Seiat
Siôn, Owen	Pant-saer	Glyn
Siôn, Peggy	gwraig Evan Siôn	Penbryn
Siôn, Sarah	Cwmtylo	Cwm Glan Llafar
Siôn, Thomas		Penbryn
Thomas, Barbara	Cyffty	Cwm Glan Llafar
Thomas, Catherine*	gweithwraig G[abriel] Davies	Bala
Thomas, David	Cystyllen	Cwm Glan Llafar
Thomas, David		Bala
Thomas, Elin		Waun
Thomas, Grace	gwraig Rowland Thomas	Pandy
Thomas, Jane	gwraig Robert Roberts, Tomencastell	Sarnau
Thomas, Jane	Llechwedd-ddu	Glyn
Thomas, Jane	morwyn Tŷ Isaf	Trerhiwaedog
Thomas, Jane	Penrhydgaled	Penmaen
Thomas, Magdalen	Tomencastell	Bala
Thomas, Nansy		Bala
Thomas, Robert		Glyn
Thomas, Rowland		Pandy
Thomas. Robert		Penbryn
Watkin, Ann	gwraig Robert Jones, Brynhynod	Glyn
William, Betty	gwraig weddw	Bala
William, Catherine	Glyn	Glyn
William, Catherine	morwyn Thomas David	Bala
William, Elin		Trerhiwaedog
William, Elin		Waun
William, Elizabeth*		Sarnau
William, Ellis	Fedwarian	Bala
William, Ellis	tad Siani	Bala
William, Jane	Rafel	Glan Llafar
William, Jane	Tyn-bryn	Waun

Enw	Preswylfod/ Disgrifiad	Seiat
William, John	gwas Coedladur	Glyn
William, Margaret		Penmaen
William, Mary	morwyn Brynbedwog	Glyn
William, Mary	Gwernbusaig	Cwm Glan Llafar
William, Nansy	gyda merch Siôn Williams	Bala
William, Robert*	Cwtrallt	Trerhiwaedog
William, Thomas	Tynddôl	Pandy
Williams, Betty	Penisa'r-dre	Bala
Williams, Dorothy	morwyn Richard Siôn	Bala
Williams, Jane	Nantyreithin	Trerhiwaedog
Williams, Peggy	morwyn, Llanycil	Bala
Zacheus, Catherine		Bala
Cadwaladr	gwas yn y Plas	Bala
Hugh	gwas Ellis Davies, Brynbannon	Bala
Jane	morwyn Jane Lloyd, drws nesaf	Bala
Judith	Pen-rhiw	Bala
Judith	morwyn yn y Plas	Bala
Mary	Tir-stent	Bala
Nelly	morwyn Humphrey Williams, Llanfor	Bala
Peggy*	Twll-y-mwg	Penmaen
Roderick		Bala
Siôn*	Maesfedw	Bala
Tom*	cynorthwyÿdd Hugh Jones	Bala
	gwraig Lewis Jones, Teiliwr	Bala
	gwraig Tyn-y-wern	Trerhiwaedog
	gwraig Thomas David, Tŷ-nant	Pandy

Atodiad 2

Cartrefi Seiadwyr Penllyn

Yma rhestrir yn nhrefn y wyddor enwau'r cartrefi a welir yn Atodiad 1, a dilynir hynny ag enw'r preswylydd a'r seiat y perthynai iddi.

Cartref	Enw	Seiat
Aberddwyafon	Margaret Evans	Trerhiwaedog
Alltrugog	David David	Trerhiwaedog
Argoed	John Rees	Cwm Glan Llafar
Bach-glas	Janes Jones	Bala
Bedwidog	Jane Robert	Pandy
Berthlafar	Lewis Evan	Trerhiwaedog
Brynbannon	Ellis Davis	Bala
Brynbedwog	Mary William	Glyn
Bryn-gwyn	Gwen Cadwaladr	Glyn
Brynhynod	Ann Watkin	Glyn
Brynhynod	Robert Jones	Bala
Brynhynod	Robert Jones	Glyn
Bryniau	William Richard	Cwm Glan Llafar
Bwlch	Jane David	Trerhiwaedog
Cae'r Crydd	Lewis Edwards	Trerhiwaedog
Ceunant	Ann Jones	Cwm Glan Llafar
Ceunant	Catherine Hugh	Waun
Ceunant	Margaret Hugh	Waun
Ceunant	Nansy Rowland	Cwm Glan Llafar
Coedladur	John William	Glyn
Cornelau	Robert Evan	Glyn
Cornelau	Jane Robert	Glyn
Cornelau	Jane Robert	Glyn

Cartref	Enw	Seiat
Cornelau	Margaret Robert	Glyn
Cornelau	Robert Evans	Bala
Cornelau	Robert Evans	Glyn
Cornelau	Sarah Powel	Glyn
Cornelau	Jane Evans	Bala
Cross Street	Evan Evans	Bala
Crynierth	Evan Jones	Sarnau
Crynierth	Susanna Robert	Sarnau
Cwmhesgin	Mary Jones	Pandy
Cwmtylo	Jane Siôn	Cwm Glan Llafar
Cwmtylo	Robert	Cwm Glan Llafar
Cwmtylo	Sarah Siôn	Cwm Glan Llafar
Cwmtylo	Thomas Robert	Cwm Glan Llafar
Cwtrallt	Robert William	Trerhiwaedog
Cyffty	Barbara Thomas	Cwm Glan Llafar
Cystyllen	David Thomas	Cwm Glan Llafar
Dôl y Tyddyn	El[in]? Cadwaladr	Bala
Dôlgarnedd	Betty Humphrey	Sarnau
Dôl-fawr	Mary Robert	Penbryn
Dôl-wen	John Robert	Trerhiwaedog
Erwstenyn	Jane Jones	Trerhiwaedog
Garnedd	David Jones	Trerhiwaedog
Garnedd	Gwen Jones	Trerhiwaedog
Garnedd	John Evans	Trerhiwaedog
Fedwarian	Ellis William	Bala
Fedwarian	Morris Evans	Bala
Fedwarian	William Evans	Bala
Fedw-lwyd	William Jones	Bala
Fedw-lwyd	Sarah Jones	Bala
Gilrhos	Peter Jones	Bala

Cartref	Enw	Seiat
Gilrhos	Rebecca David	Bala
Glanrafon	Jane Evan	Penbryn
Glyn	Catherine William	Glyn
Glyn	William Morgan	Glyn
Graienyn	Peggy Rowland	Bala
Fronfeuno	Lowri Ellis	Bala
Fronfeuno	Nelly Robert	Bala
Gwernbusaig	Edward Robert	Cwm Glan Llafar
Gwernbusaig	Catherine Evan	Cwm Glan Llafar
Gwernbusaig	Mary William	Cwm Glan Llafar
Gwerndyfrgi	Cadwaladr Hugh	Waun
H. Post	Peggy Hughes	Bala
Hafne	William Jones	Llandderfel
Hafodwen	Elin Robert	Penbryn
Hendre-du	Ellis Robert	Bala
Hendre-du	Robert Roberts	Bala
Hendre-du	Humphrey Roberts	Bala
Hysbysfa	John Ellis	Bala
Llan	Peter Robert	Llandderfel
Llandderfel	John David	Llandderfel
Llanfor	Cadi Rees	Bala
Llanfor	Catherine Rees	Bala
Llanfor	Gwen Robert	Bala
Llanfor	Nelly Ellis	Bala
Llanfor	Richard Hughes	Bala
Llanfor	Robert Powell	Penmaen
Llanycil	Catherine Ellis	Bala
Llanycil	Siani David	Bala
Llechwedd Ystrad	Sarah Robert	Glyn
Llechwedd-ddu	Evan Evans	Glyn

Cartref	Enw	Seiat
Llechwedd-ddu	John Edward	Glyn
Llechwedd-ddu	Elinor Lewis	Glyn
Llechwedd-ddu	Jane Thomas	Glyn
Llidiart-y-groes	Margaret Roberts	Sarnau
Llwyn-ci	David Jones	Bala
Llwyn-ci	David Jones	Penmaen
Llwyn-ci	Lowri Jones	Penmaen
Madog	Edward Rowland	Glyn
Maes Mathew	Alce Hughes	Cwm Glan Llafar
Maesafallen	Mary Edmund	Trerhiwaedog
Maesfedw	Jane Cadwaladr	Penmaen
Maesfedw	Robert	Bala
Maesfedw	Robert	Penmaen
Maesfedw	Siôn	Bala
Murddun Mared	Catherine Richard	Glyn
Murddun Mared	William Edward	Glyn
Nantycyrtiau	Hugh Edward	Pandy
Nantycyrtiau	Edward Hughes	Pandy
Nantyreithin	Betty Robert	Trerhiwaedog
Nantyreithin	Jane Williams	Trerhiwaedog
Nantyreithin	Robert Jones	Llandderfel
Onnen	Jane Evans	Bala
Pandy Isaf	Elizabeth Rowland	Trerhiwaedog
Pant-saer	Barbara Siôn	Glyn
Pant-saer	Siôn Owen	Glyn
Pantyceubren	Thomas Jones	Glyn
Pantyreithin	William Jones	Trerhiwaedog
Pengeulan	Ellis Jones	Bala
Penbryn	Betty Jones	Penbryn
Pen-cae	Griffith Hughes	Pandy

Cartref	Enw	Seiat
Pen-cae	Nanny Robert	Pandy
Penisa'r-dre	Betty Williams	Bala
Penmaen	Betty Evan	Penmaen
Penmaen	Betty Jones	Bala
Penmaen	Betty Robert	Penmaen
Penmaen	David Jones	Bala
Penmaen	Jenny Jones	Bala
Penmaen	John Jones	Bala
Penrallt	Cadwaladr Maurice	Pandy
Pen-rhiw	Judith	Bala
Penrhydgaled	Jane Thomas	Penmaen
Penrhydgaled	John Roberts	Penmaen
Pentre	Catherine Jones	Sarnau
Pentre	Elin Evans	Pandy
Pentre	John Jones	Sarnau
Pentre	Lowri Jones	Sarnau
Pentre	Siani David	Pandy
Plas Madog	Jane Griffith	Cwm Glan Llafar
Plas Madog	William Robert	Cwm Glan Llafar
Plas-yn-dre	Mrs [Bridget] Lloyd	Bala
Post	Hugh Jones	Bala
Rafel	Jane William	Cwm Glan Llafar
Rhiwaedog	Evan Edwards	Trerhiwaedog
Rhosygwaliau	Evan David	Trerhiwaedog
Rhydfudr	Elizabeth Edward	Glyn
Rhydfudr	Elizabeth Jones	Glyn
Rhydlechog	Sarah Owen	Pandy
Rhydyrefail	Betty Cadwaladr	Cwm Glan Llafar
Sarnau	Betty Hugh	Sarnau
Sarnau	Catherine Cadwaladr	Sarnau

Cartref	Enw	Seiat
Tai-draw	Robert Jones	Bala
Tai-draw	Robert Jones	Penmaen
Tai-draw	Catherine Jones	Bala
Tai'r Felin	Robert Jones	Pandy
Tal-y-bont	Hugh Lloyd	Waun
Tan-y-garth	John David	Trerhiwaedog
Tan-y-graig	Betty Rees	Llandderfel
Tan-y-rhiw	Elin Siôn	Bala
Tir stent	Mary	Bala
Tomencastell	Jane Thomas	Sarnau
Tomencastell	Magdalen Thomas	Bala
Tomencastell	Robert Roberts	Sarnau
Ton Tai-draw	John Roberts	Bala
Trebenmaen	Elin Hugh	Bala
Twll-y-mwg	Peggy Evan	Bala/Penmaen
Tŷ Cerrig	Catherine Jones	Cwm Glan Llafar
Tŷ Cerrig	Catherine Robert	Cwm Glan Llafar
Tŷ Cerrig	John Robert	Penbryn
Tŷ Cerrig	Mary Jones	Cwm Glan Llafar
Tŷ Cerrig	Sarah Hugh	Penbryn
Tŷ Du	Betty Jones	Cwm Glan Llafar
Tŷ Isaf	John Jones	Trerhiwaedog
Tŷ Newydd	Alce Hugh	Pandy
Tŷ Newydd	Ann Davies	Pandy
Tŷ Newydd	Margaret Davies	Pandy
Tŷ Newydd	Margaret Jones	Sarnau
Tyddyn Barwn	Jane Evan	Llandderfel
Tyddyn Pren	Ann Pugh	Bala
Tŷ-hen	Thomas Evan	Sarnau
Tŷ-hen	Catherine Humphrey	Sarnau

Cartref	Enw	Seiat
Tŷ-nant	Mary Evans	Sarnau
Tŷ-nant	Thomas David	Pandy
Tyn-bryn	Betty Jones	Llandderfel
Tyn-bryn	Jane William	Waun
Tyn-bryn	Robert Edward	Llandderfel
Tyn-cefn	Lowri Evans	Sarnau
Tyn-coed	Mary Lloyd	Glyn
Tyn-ddôl	Betty Robert	Cwm Glan Llafar
Tyn-ddôl	Thomas William	Pandy
Tyn-pant	Hugh Robert	Penbryn
Tyn-rhos	Margaret Hughes	Cwm Glan Llafar
Tyn-twll	Catherine Rowland	Glyn
Tyn-twll	Hugh Ellis	Glyn
Tyn-y-coed	Robert Owen	Glyn
Tan-y-garth	Hugh Hughes	Trerhiwaedog
Tyn-y-wern		Trerhiwaedog
Tŷ-tan-dderwen	Jane Jones	Trerhiwaedog
Tŷ-tan-y-graig	Sidney Jones	Trerhiwaedog
Tŷ-tan-y-graig	William Jones	Trerhiwaedog
Tŷ-tan-y-graig	John Jones	Trerhiwaedog
Weirglodd Goch	Evan Jones	Pandy

Atodiad 3

Prif weithiau llenyddol Thomas Charles

Rhestrir y llyfrau a llyfrynnau yn nhrefn cyhoeddi'r argraffiad cyntaf cyn ychwanegu manylion am argraffiadau eraill.

1789   *Crynodeb o Egwyddorion Crefydd*, Argraffwyd gan Wasg Trefeca.
Bu dau argraffiad arall: Wrecsam, 1791, a Llundain, 1794.

1797   *An Evangelical Catechism*, Argraffwyd gan T. Heptinstall, Llundain.

1798   Llythyr at Mr. T[homas] Jones, o'r Wyddgrug, Argraffwyd gan W. C. Jones, Caer.
Ail argraffwyd: Trefeca, 1799.

1799   *Crynodeb o Egwyddorion Crefydd: neu Gatecism Byrr i Blant, ac eraill, i'w dysgu*, Argraffwyd gan W. C. Jones, Caer.
Ail argraffwyd: Caer, 1802; a thrachefn bedair gwaith yn Y Bala gan Robert Saunderson, 1805, 1806, 1807, a 1808.

1799   *Trysorfa Ysprydol* [Cyd-olygydd gyda Thomas Jones, Dinbych], Argraffwyd gan W. C. Jones, Caer.
Ail argraffwyd yn Y Bala, 1809.

1800   *The Works of Walter Cradock*, [gyda'r Parch. P. Oliver], Argraffwyd gan W. C. Jones, Caer.

1801   *A Short Evangelical Catechism; containing the first Principles of Christianity*, Argraffwyd gan W. C. Jones, Caer.
Ail argraffwyd yn Llundain, 1804, a chwe gwaith yn Y Bala, 1808, 1817; 1826, 1857, a 1859.

1801   *Rheolau a Dybenion y Cymdeithasau Neillduol yn mhlith y Bobl a elwir y Methodistiaid yn Nghymru*, Argraffwyd gan W. C. Jones, Caer.
Ail argraffwyd, Caer, 1802.

1801   *Esponiad Byr ar y Deg Gorchymmyn, i Blant ac eraill i'w ddysgu*, Argraffwyd gan W. C. Jones, Caer.
Argraffiadau eraill yn Y Bala, 1809, 1821, 1827, 1834, 1849, 1856.

1802   *The Rules and the Design of the Religious Societies among the Welsh Methodists*, Argraffwyd gan W. C. Jones, Caer.

1802   *The Welsh Methodists Vindicated*, Argraffwyd gan W. C. Jones, Caer.
Cyfieithiad Cymraeg gan y Parchg Henry Hughes, Bryncir, Caernarfon, 1894.

1804   *Talfyriad o Hanes Mr. Kicherer, gweinidog yr Efengyl... yn mysg y Boschhemen ... yn Neheudir Affrica,* Argraffwyd gan Gwmni Jones & Co.,Y Bala.
Ail argraffwyd, wedi ei helaethu Y Bala, 1804

1805   *An Exposition on the Ten Commandments; By way of Question and Answer,* Printed for, and sold by S. Charles, by R. Saunderson,Y Bala.

1805   *Geiriadur Ysgrythyrol,* Llyfr 1, Argraffwyd gan Robert Saunderson,Y Bala.
Ail-argraffwyd, wedi'i helaethu a'i ddiwygio,Y Bala, 1819; Trydydd argraffiad,Y Bala, 1836

1806   *Casgliad o Hymnau: gan mwyaf heb erioed eu hargraffu o'r blaen,* Argraffwyd gan Robert Saunderson, Y Bala.
Ail argraffwyd, gydag ychwanegiadau, dan y teitl *Hymnau o Fawl i Dduw ac i'r Oen,* yn Y Bala yn 1808.
Trydydd argraffiad, gydag ychwanegiadau, dan y teitl *Casgliad o Hymnau: gan mwyaf heb erioed eu hargraffu o'r blaen, gan Ann Griffith,* Caerfyrddin, 1809.

1806   Testament Newydd [Golygwyd gyda chymorth Robert Jones, Rhos-lan, a Thomas Jones, Dinbych]. Argraffwyd gan Ioan Smith, dros Gymdeithas y Biblau Saesoneg ac Ieithoedd eraill yng Nghaergrawnt. Cafwyd tri argraffiad ar yr un diwrnod, Mai 6, o'r un wasg yng Nghaergrawnt.

1807   *Hyfforddwr yn Egwyddorion y Grefydd Gristionogol,* Argraffwyd dros ac ar werth gan S. Charles, gan Robert Saunderson, Y Bala.
Daeth yr ail argraffiad hyd at y chweched argraffiad ar hugain o wasg Y Bala rhwng 1809 a 1840. Daeth yr un argraffiad ar ddeg ar hugain nesaf o Lundain rhwng 1853 a thua 1875, yna cyhoeddwyd dau argraffiad ar hugain yn Wrecsam rhwng 1875 a diwedd y ganrif. Cafwyd argraffiad yng Nghaerfyrddin yn 1822, ac yn Utica, Unol Daleithiau America, yn 1885. Dechreuwyd ei gyhoeddi yng Nghaernarfon gyda'r *Gyffes Ffydd* dan awdurdod y Gymanfa Gyffredinol yn 1895. Cyfieithwyd i'r Saesneg gan ŵyr Thomas Charles, Y Parchedig Brifathro David Charles (1812-78), a'i argraffu yn Llundain yn 1867 a thrachefn yn 1881.

1807   *Sillydd Cymraeg; neu Arweinydd i'r Frutaniaith,* argraffwyd gan Robert Saunderson, Y Bala.
Argraffwyd drachefn yn Y Bala yn 1816, 1821, 1825, 1834, 1871, 1872, ynghyd ag argraffiad y trydydd Jiwbili, 1893.

1807 *Y Bibl Cyssegr-Lan* Argraffwyd gan Richard Watts ... dros *Gymdeithas y Biblau Saesoneg ac Ieithoedd eraill.* Caergrawnt.
Dyma'r argraffiad a ymddangosodd heb Barnwyr pennod 8.

1808 *Geiriadur Ysgrythyrol,* Llyfr 2, Argraffwyd gan Robert Saunderson, Y Bala.
Ail argraffiad: Y Bala, 1821.

1808 *A Collection of Hymns, ... Containing the Late P. Oliver's Selection, Arranged ...* By T. Charles, Argraffwyd gan R. Saunderson, Y Bala.

1808 *Diffyniad Ffydd Eglwys Loegr: ...* M. Kyffin. Hefyd, *Hanes Byr o Fywyd a Marwolaeth yr Awdwr:* gan Thomas Charles, . Argraffwyd gan Robert Saunderson, Y Bala.

1810 *Geiriadur Ysgrythyrol,* Llyfr 3, Argraffwyd gan Robert Saunderson, Y Bala.
Ail argraffiad: Y Bala, 1823.

1811 *Geiriadur Ysgrythyrol,* Llyfr 4. Argraffwyd gan Robert Saunderson, Y Bala.
Ail argraffiad gyda bywgraffiad o'r awdur: Y Bala, 1825.
Dechreuodd Saunderson (Gwasg Y Bala) gyhoeddi'r *Geiriadur Ysgrythyrol* mewn un gyfrol yn 1853, a chafwyd dau argraffiad arall yn Y Bala, 1860 a 1864. Yn 1877 cyhoeddodd Hughes a'i Fab, Wrecsam, y seithfed argraffiad, a dilynwyd hwnnw yn 1885 gan '*Argraffiad Coffadwriaethol o Gan-mlwyddiant yr Ysgol Sabbothol yn Nghymru ...* '

1813 *Golygiad Byr ar y Dull a'r Drefn ... Corph y Methodistiaid Calfinistaidd ... i neilltuaw rhai o'u pregethwyr.* Argraffwyd gan Robert Saunderson, Y Bala.

1813 *Rheolau i ffurfiaw a threfnu yr Ysgolion Sabbothawl.* Argraffwyd gan Robert Saunderson, Y Bala.

1813 *Trysorfa,* Llyfr 2 [Golygydd], Argraffwyd gan Robert Saunderson, Y Bala.

1814 *Y Bibl Cyssegr-Lan,* Argraffwyd [yn] Llundain, [gan] George Eyre ac Andrew Straham, tros Gymdeithas y Biblau Brutanaidd ac Ieithoedd eraill ...
Ymddengys fod y Beibl hwn ar werth 'i Gynnorthwywyr yn unig', gan L. B. Seeley, yn Ystordy y Gymdeithas, 169 Fleet St.

Llyfryddiaeth ddethol

Cadwaladr, Dafydd, *Ehediadau y Meddwl, ar yr achlysur o Farwolaeth y Parchedig Thomas Charles, A.B. o'r Bala ... a Mrs Sarah Charles ...* Bala, 1815.

Davies, J. E. Wynne, 'Thomas Charles o'r Bala (1755-1814), yn *CH* 38 (2014), tt. 58-84.

Dienw, 'Cofiant byr am y diweddar Barch. Thomas Charles, o'r Bala, yn Sir Feirionydd', *Trysorfa*, Bala, 1819, tt. 1-6 a 33-38.

Dienw, 'Charles, Thomas.' *Y Gwyddoniadur Cymreig*, gol. John Parry, Y Bala. Cyfrol II. Dinbych, 1858, tt. 327-332.

Eade, Sara, *The World of Mary Jones: a social history of the people and places that Mary knew*, Tywyn, 2015.

Emyr, Gwen, *Sally Jones: Rhodd Duw i Charles*, Pen-y-bont ar Ogwr, 1996.

Evans, E. D., 'Simon Lloyd (1756-1836): Yr Olaf o'r Clerigwyr Methodistaidd,' yn *CH*, 39 (2015), tt. 21-25.

Gruffydd, R. Geraint, 'Thomas Charles yr emynydd', yn *Y Ffordd Gadarn*, (gol. E. Wyn James), Pen-y-bont ar Ogwr, 2008, tt. 194-200.

Hughes, Huw John, *Coleg y Werin: Hanes Cynnar yr Ysgol Sul yng Nghymru (1780-1851)*, Chwilog, 2013.

Hughes, Medwin, 'Methodistiaeth a'r Ysgol Sul', yn Elfed ap Nefydd Roberts (gol.), *Corff ac Ysbryd: Ysgrifau ar Fethodistiaeth*, Caernarfon, 1988, tt. 116-130.

Ioan Tegid (John Jones, 1792-1852), *Galarus Fyfyrdod ar Farwolaeth y Parch. Thomas Charles, A.B., ...* Bala, 1815.

James, E. Wyn (gol.), *Rhyfeddaf Fyth ... Emynau a llythyrau Ann Griffiths ynghyd â'r byrgofiant iddi gan John Hughes, Pontrobert, ...* Gwasg Gregynog, 1998

—— 'John Hughes, Pontrobert a'i Gefndir', *CH*, 37 (2013), tt. 72-92.

James, R. Watcyn, 'John Davies, Tahiti: an example of the missionary awareness of the early Welsh Calvinistic Methodists', Traethawd Ph.D., Aberystwyth, 1986.

Jenkins, D. E., *The Life of the Rev. Thomas Charles B.A. of Bala, ... in Three Volumes*, Dinbych, 1908.

Jenkins, R. T., 'Methodistiaeth yng Nghymru: Cyfnod Thomas Charles', *Hanes Cymru yn y Ddeunawfed Ganrif*, Caerdydd, 1930, tt. 97-99.

Jones, Ieuan Gwynedd (gol.), *The Religious Census of 1851: A Calendar of gthe Returns relating to Wales*, Cyfrol II, Gogledd Cymru. Caerdydd, 1981, tt. 249-257.

Jones, John Morgan, a Morgan, William, *Y Tadau Methodistaidd*, Cyfrol II, Abertawe, 1897, tt. 163-232.

Jones, R. Tudur, 'Diwylliant Thomas Charles o'r Bala', yn J. E. Caerwyn Williams (gol.), *Ysgrifau Beirniadol IV*, Dinbych, 1969, tt. 98-115.

—— *Thomas Charles o'r Bala, Gwas y Gair a Chyfaill Cenedl*, Caerdydd, 1979.

Jones, Thomas, *Cofiant, neu Hanes Bywyd a Marwolaeth y Parch. Thomas Charles,* ... Bala, 1816.

Morgan, D. Densil (gol.), *Thomas Charles o'r Bala*, Caerdydd, 2014.

—— 'Credo ac Athrawiaeth' yn J. Gwynfor Jones (gol.), *Hanes Methodistiaeth Galfinaidd Cymru*: Cyfrol III, Y Twf a'r Cadarnhau, Caernarfon, 2011, tt. 112-125.

Morgan, Derec Llwyd, 'Llenyddiaeth y Methodistiaid' yn Gomer M. Roberts (gol.), *Hanes Methodistiaeth Galfinaidd Cymru*: Cyfrol II, Cynnydd y Corff, Caernarfon, 1978, tt. 481-84.

—— 'Thomas Charles: Math Newydd o Fethodist' ac '"Ysgolion Sabbothol" Thomas Charles' yn *Pobl Pantycelyn*, Llandysul, 1986.

Owen, Goronwy Prys (gol.), *Atgofion John Evans y Bala*, Caernarfon, 1997.

—— *Neilltuwch i mi... Dathlu'r Ordeinio Cyntaf*, Cymdeithasfa'r Gogledd o Eglwys Bresbyteraidd Cymru (Y Methodistiaid Calfinaidd), 2011.

Robert ap Gwilym, *Coffadwriaeth am y Parchedig Thomas Charles, A.B. o'r Bala; ... hefyd am Sarah Charles, ei wraig,* ... gan Robert ap Gwilym, o Dref Rhiwaedog. Bala, 1815.

Roberts, D. Francis, a Rhiannon Francis, *Capel Tegid, Y Bala: Dau-canmlwyddiant 1757-1957*, Y Bala, [d.d., ond tua 1957].

Roberts, Gomer M., 'Ymwahanu oddi wrth Eglwys Loegr,' yn Gomer M. Roberts (gol.), *Hanes Methodistiaeth Galfinaidd Cymru*: Cyfrol II, Cynnydd y Corff, Caernarfon, 1978, tt. 281-376.

Thomas, Beryl, 'Mudiadau Addysg Thomas Charles' yn Gomer M. Roberts (gol.), *Hanes Methodistiaeth Galfinaidd Cymru*: Cyfrol II, Cynnydd y Corff, Caernarfon, 1978, tt. 431-455.

White, Eryn M., 'Addysg Boblogaidd a'r Iaith Gymraeg 1650-1800', yn Geraint H. Jenkins (gol.), Caerdydd, 1997, tt. 315-338.

Williams, William (Glyndyfrdwy), *Methodistiaeth Dwyrain Meirionydd*, Bala, 1902.

Mynegai

Mynegai i'r darluniau